掌相精粹

上卷

圓方立極

「天圓地方」是傳統中國的宇宙觀，象徵天地萬物，及其背後任運自然、生生不息、無窮無盡之大道。早在魏晉南北朝時代，何晏、王弼等名士更開創了清談玄學之先河，主旨在於透過思辨及辯論以探求天地萬物之道，當時是以《老子》、《莊子》、《易經》這三部著作為主，號稱「三玄」。東晉以後因為佛學的流行，佛法便也融匯在玄學中。故知，古代玄學實在是探索人生智慧及天地萬物之道的大學問。

可惜，近代之所謂玄學，卻被誤認為只局限於「山醫卜命相」五術及民間對鬼神的迷信，故坊間便泛濫各式各樣導人迷信之玄學書籍，而原來玄學作為探索人生智慧及天地萬物之道的本質便完全被遺忘了。

有見及此，我們成立了「圓方出版社」（簡稱「圓方」）。《孟子》曰：「不以規矩、不成方圓」。所以，「圓方」的宗旨，是以「破除迷信、重人生智慧」為規，藉以撥亂反正，回復玄學作為智慧之學的光芒；以「重理性、重科學精神」為矩，希望能帶領玄學進入一個新紀元。「破除迷信、重人生智慧」即「圓而神」，「重理性、重科學精神」即「方以智」，既圓且方，故名「圓方」。

出版方面，「圓方」擬定四個系列如下：

1. 「智慧經典系列」：讓經典因智慧而傳世；讓智慧因經典而普傳。
2. 「生活智慧系列」：藉生活智慧，破除迷信；藉破除迷信，活出生活智慧。
3. 「五術研究系列」：用理性及科學精神研究玄學；以研究玄學體驗理性、科學精神。
4. 「流年運程系列」：「不離日夜尋常用，方為無上妙法門。」不帶迷信的流年運程書，能導人向善、積極樂觀、得失隨順，即是以智慧趨吉避凶之大道理。

在未來，「圓方」將會成立「正玄會」，藉以集結一群熱愛「破除迷信、重人生智慧」及「重理性、重科學精神」這種新玄學的有識之士，並效法古人「清談玄學」之風，藉以把玄學帶進理性及科學化的研究態度，更可廣納新的玄學研究家，集思廣益，使玄學有另一突破。

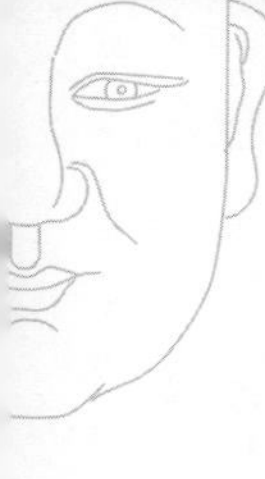

自序

俗云：「人不可以貌相」，究竟是對還是不對呢？當然是對！「夏蟲不可與語冰，非無冰也，以其未見冰也。」所以，對於「目不識相」的人來說，絕對是對；精通掌相的人，只會是「人中伯樂」而已。

我則認為，絕對可以「以貌取人」，亦不怕失之子羽。懂得竅門與方法，觀人於微，做個現代曾國藩，對你作為聘用僱員、選擇拍檔、交友、選擇配偶或社交，都是行之有效、切實有用的學問。

看相，不單只是看面容那麼簡單，而是要配合氣色、眼神、形態、塑像、聲音、走路的動態、紋理、痣、疤痕、凹陷、直覺及觸機，才能將一個人的運程，緊緊扣起。

還記得很多年前在電視台工作的時候，有一位當紅的司儀叫我看相，我二話不說叫他行幾步、轉個彎給我看，當時我見他轉身是向右轉的，便告訴他，他很快便會離開電視台，後果應驗。

所以，學看相除了要熟讀流年部位、五官及十二宮所賦予的意義外，還要配合眼神及動態，一動一靜去推斷，才能準確。

很多學生問我學看相難不難。我說絕對不難，只要記性好，便已成功了一大半，「掌精於勤」，再加上一點悟性，目巧心靈，已可入門了。

看相最重要是感覺，「有諸內，必形諸於外」，眼前這個人開不開心、快不快樂、有沒有痛症，完全透過他的眼神向你表露無遺，問題是你懂不僅去接收這個信息，反過來將這信息轉告給這個眼前人，因為他仍然是懵然不知。

一個很懂得掩飾、口很密實、城府很深的人，都不能掩藏到他的眼神，尤其是有痛症、有手術的人，他的眼神會蒲、會露及會有一種痛苦的表現，在他的眼睛一開一合間完全釋放出來。觀人於微，學看相者就是訓練自己去捕捉這信息，所以，勤於觀察，多些留心身旁的人發生的事，就會給你很好的啓發，很快你就會進入看相的殿堂。

從事看相及教授學生，屈指一算已有數十個年頭了，一直有個心願，願將多年掌相心得傳開去，發揚光大。掌相並不是什麼神秘的東西，只不過是一門統計學，是能夠運用到我們日常生活上的一種實用學問，很值得大家花一點時間去研究。

願此書能夠作為大家入門的鑰匙！

目錄

流年部位篇

流年部位（一） 014
流年部位（二） 016
論虛齡 018
男左女右 020
男性百歲圖 022
女性百歲圖 024
1至7歲 026
8至14歲 028
15歲 030
16歲 032
17歲至18歲 034
19歲 036
20歲至21歲 038
22歲 040
23歲至24歲 042
25歲 044
26歲至27歲 046
28歲 048
29歲至30歲 050
31歲至34歲 052
35歲至40歲 054
41歲 056
42歲至43歲 058
44歲至45歲 060
46歲至47歲 062
48歲 064
49歲至50歲 066
51歲 068
52歲至53歲 070
54歲至55歲 072

56歲至57歲 074
58歲至59歲 076
60歲 078
61歲 080
62歲至63歲 082
64歲至65歲 084
66歲至67歲 086
68歲至69歲 088
70歲 090
71歲 092
72歲至73歲 094
74歲至75歲 096
76歲至99歲 098
100歲 100

十二宮篇

總論 102
夫妻宮（男） 104
夫妻宮（女） 105
命宮 106
子女宮 107
田宅宮 108
奴僕宮 109
疾厄宮 110
父母宮 111
財帛宮 112
兄弟宮 113
遷移宮 114
官祿宮 115
福德宮 116

五官篇

總論 118

耳

總論 122

風門闊 124
風門窄 125
雞嘴耳 126
反廓耳 127
貼面耳 128
兜風耳 129

額

總論 132
額角旋毛 134
衝突額 135
方額角 136
M字額 137
圓額角 138
美人啄 139

印堂

總論 142
印堂闊 144
印堂十字紋 145
印堂八字紋 146
印堂發黑 147

眉

總論 150
枯眉 152
眉交連 153
短眉 154
亂草眉 155
重疊眉 156
高低眉 157
鴛鴦眉 158
眉頭兩樣 159

眼

總論 162
三白眼 164
冚盅眼 165

黑多白少 166
白多黑少 167
大細眼 168
大眼 169

山根

總論 172
玉嶺橫紋 174
山根橫紋 175
山根低 176
山根高 177

顴

總論 180
破顴紋 182
顴上生瘡 183
觀生黑痣 184
顴如桔皮 185

鼻

總論 188
鼻曲 190
鼻樑有紋 191
鼻高而長 192
鼻直 193
鼻低 194
鼻短 195

人中

總論 198
人中彎曲 200
人中短 201
人中直紋 202
人中橫紋 203
人中黑痣 204
人中鬚寒 205

法令

總論 208
法令不顯 210
法令有痣 211
雙重法令 212
敗紋 213

口

總論 216
口薄 218
上唇 219
下唇 220
口寬 221
歪斜口 222
口角向上 223
吹火口 224

實例篇

有夫等於無夫 226
添丁願違 228
無喜易見凶 231
長壽 235
你的貴人是女人 237
凶光凶險 240
好色之徒 243

流年部位篇

流年部位（一）

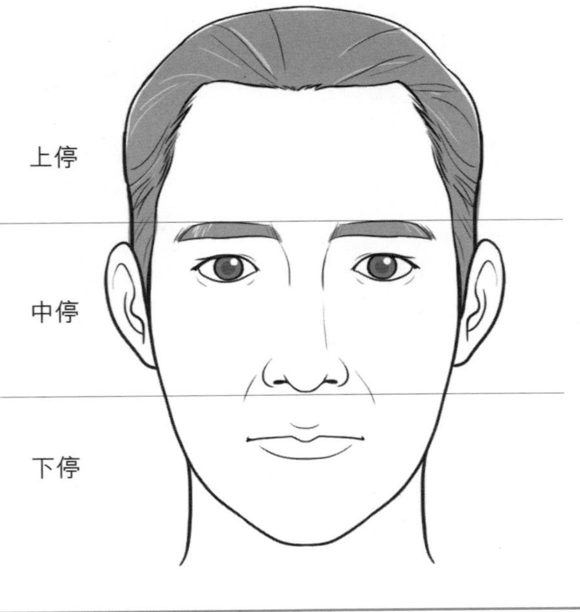

看相者，最重要是知道流年部位，俗云：「不識流年，何以談相？」

可惜，坊間相書所列的流年部位多不清楚及有失誤，故我會花較大的篇幅去為大家解説清楚，希望可以達到「承先啓後」的目的。

我們將面相分為上、中、下三停。上停主少年運，中停主中年運，下停主晚年運。

「行完兩耳到天中，天庭塚墓邱陵上，轉角邊城共印堂，此係少年嘅部位」。粗略而言，兩耳及額頭是主少年運，主管由一至三十歲之運程。

「重有眉目兩顴當，山根年上隨行往，年壽準頭到在行」。由眉頭開始，行到鼻翼為止是中年運，主管三十一歲至五十歲間之運程。

「地庫水星係老年嘅倚向，行埋地閣都係晚景韶光」。由人中開始，至腮骨為止，是主五十一歲至七十五歲之運程。

最後，由七十六歲開始，至九十九歲為止，是晚運。行子、丑、寅、卯、辰、巳、午、未、申、酉、戌、亥等十二宮之位置，皆是在面的邊緣而行。

到一百歲，則又回到左耳，重新再行過，直至「騎鶴歸西」。

乍看百歲圖，似乎雜亂無章，實則所行之部位，是甚有規律的，就是「行完中間行兩邊」。

先撇開兩耳不論，由額頂拉一條直線至下巴，我們就會發覺十五、十六歲就在中線，跟着十七、十八歲就在中線之兩邊，然後十九歲又回到中線，二十、二十一歲又在中線之兩邊，直至七十五歲為止皆如是。

到七十六歲開始，至九十九歲為止，則是沿面之輪廓邊緣而行，至一百歲則由耳再開始過。

流年部位（二）

中線

右　左

耳仔是主管一至十四歲之運程，但要注意一點：要分男左女右，即男性先看左耳，女性先看右耳。

換句話說，其先後規律如下：

- 一至七歲：男看左耳，女看右耳；
- 八至十四歲：男看右耳，女看左耳。

這個「男先睇左邊，女先睇右邊」的規律，不單適用於看耳，而是要貫穿整個面相，只有眼運是例外。

還記得在「流年部位（一）」（第14頁）我叫大家在額頭至下巴畫一條中線嗎？它的作用就是叫大家分清左右，

在中線左邊的流年部位全屬左邊，在中線右邊的流年部位全屬右邊，以中線作為分水嶺，統領兩邊。其實這條中線還有名堂，在相學上叫做「十三氣勢部位」，是人一生中幾個很重要的轉捩點，非常重要，我會另立專篇去為大家介紹。

話說回頭，眉分左右，男性三十一歲行左眉頭，女性則行右眉頭；男性三十三歲行左眉尾，女性則行右眉尾。

同樣道理，男性五十六歲行左邊之法令，五十七歲行右邊法令。反之，女性則五十六歲行右邊之法令，五十七歲行左邊之法令。

我在這裏只不過舉數個例子，請大家在看相時自動幫我「執正」佢，好嗎？

還有，在百歲圖上的名稱是固定不變的，不要自作聰明地把它左右倒轉。例如左眉尾叫繁霞，右眉尾叫彩霞，故男性三十三歲就行繁霞，三十四歲就行彩霞；而女性則三十三歲行彩霞，三十四歲行繁霞。

另外，可能因古代重男輕女的關係，從前百歲圖之編排是以男性為主，女讀者則要自己輕提玉手將其互易；但為了方便女讀者，本書特別繪製了女性百歲圖（見第24頁），部位與年齡均已校正，各位女讀者可以按圖索驥，不用再摸索了。

論虛齡

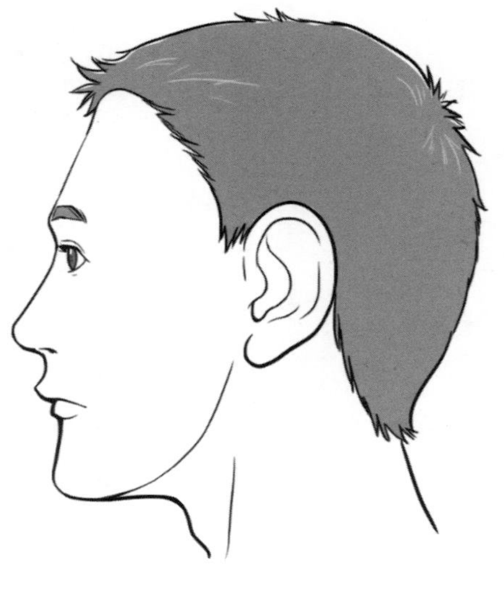

落地佔歲，一歲行左耳。

看相是以虛齡計算流年部位的。

原因是男女交媾，精子與卵子結合，成為胚胎，在女性子宮內孕育，此時小生命已形成，受天地間磁場影響而有感應能力。

由懷孕至出生，大概是二百七十六天至二百八十天左右，故老人家常說「落地佔歲」，就是這個意思。但心水清的朋友會發覺，二百七十天大約是九個月，就當一歲論，有沒有弄錯？

的確，如果這樣去計算虛齡，用以論相說命，真是弄錯了！

正確之方法是，虛齡踏上實齡計，

即出生後再加一百天，才算是一歲。舉數個例子如下：

- 假若你的小朋友是二〇〇〇年一月一日出生，那麼到二〇〇〇年四月上旬便可算足一歲，開始上耳運。
- 假若你是一九七〇年一月一日出生之男性，到二〇〇〇年一月一日便足三十歲，再加一百天，即到四月初，便是以三十一歲虛齡計，流年部位是左眉頭，以左眉頭形態好壞論斷該年吉凶。如左眉頭眉毛豎起，是為眉頭帶殺，犯太歲，該年便要小心身體了。
- 假若你是一九七〇年一月一日出生之女性，到二〇〇〇年一月一日便是三十歲，再加一百天，到四月初便以三十一歲虛齡論運程了。

但別忘記男左女右之原則，女性三十一歲的流年部位是看右眉頭，不要弄錯啊！

假若有些人是不足月而出生的，可根據此原則而調整之。

男左女右

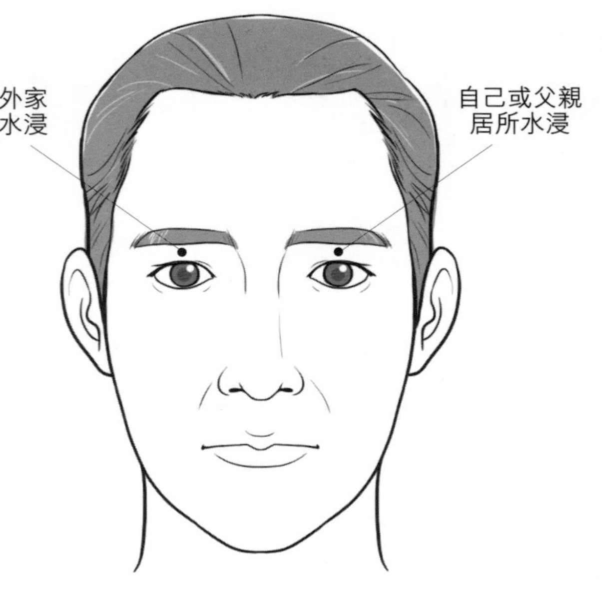

常聽見人們戲言，用左右不分來說人把簡單的方向也搞不清，駕車就很容易誤事。看相也一樣，必須要弄清男左女右這一個概念，否則更易誤事，惹出笑話。

看相第一個重要原則是：男看左，女看右，例如：

- 一至七歲，男看左耳，女看右耳。
- 八至十四歲，男看右耳，女看左耳。
- 三十一歲，男看左眉頭，女看右眉頭。
- 三十三歲，男看左眉尾，女看右眉尾。

此乃看流年部位之大原則，以此類推，但眼部則例外。

男左女右這個原則在實際論斷時非常重要，不單止面相，掌相亦如是。就以婚姻紋為例，雙線平行是代表有三角戀愛，在男性而言，左手出現則表示自己另結新歡，出現三角戀愛；在右手出現，則你可能被人橫刀奪愛，是女方另結新歡，有第三者之介入。

- 男性左邊田宅宮（即眼蓋位，在眉與眼之間的位置）內有痣或近期在這部位長出暗瘡，即代表自己的家裏或父親家裏有機會發生火災、水浸或被盜賊洗劫。
- 如該痣出現在右邊之田宅宮，則是太太的娘家會犯上述之事件。

- 左眼內角代表長男，眼珠代表中男，左眼尾代表少男。右眼內角代表長女，眼珠代表中女，右眼尾代表少女。
- 左眼頭有瘻，代表長男有事；右眼頭有瘻，則代表長女有事。

又例如奸門有痣官非旺，左邊有瘻，是自己惹官非；右邊有瘻，則是太太犯官非。

另外，內與外之概念亦宜弄清楚。例如在法令紋之內出現暗瘡，是與家人或公司內之同事有爭吵。若出現在法令之外，則與外人或街外人發生爭執。

男性百歲圖

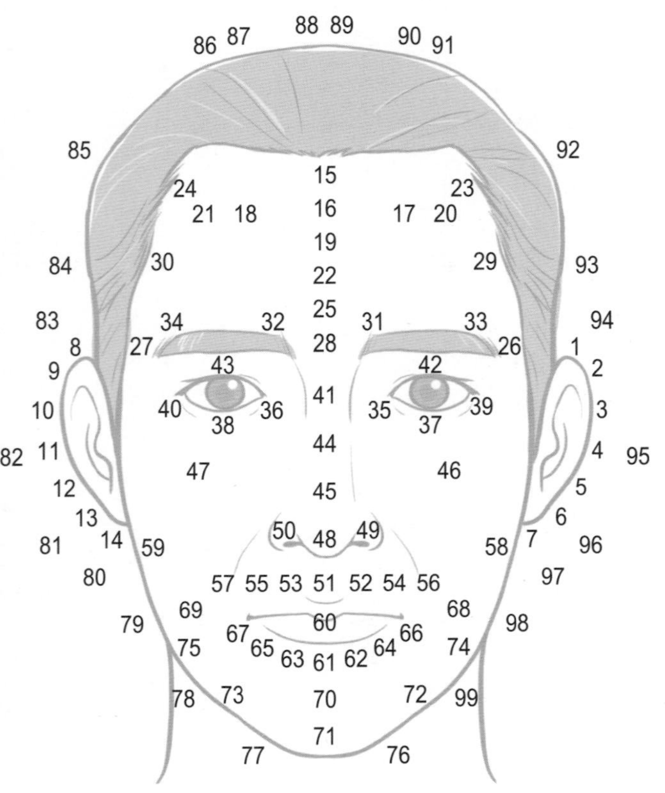
86 87 88 89 90 91
85 92
24 15 23
21 18 16 17 20
84 30 19 29 93
22
83 34 32 25 31 33 94
8 27 28 26 1
9 43 42 2
10 40 36 41 35 39 3
38 37
82 11 44 4 95
47 46
12 45 5
13 6
81 14 59 50 48 49 58 7 96
80 97
57 55 53 51 52 54 56
69 68
79 60 98
67 66
75 65 63 61 62 64 74
78 73 70 72 99
71
77 76

1,2,3	4	5,6,7	8,9,10	11	12,13,14	15	16	17	18
天輪	天城	天廓	天輪	人輪	地輪	火星	天中	日角	月角
19	20,21	22	23,24	25	26	27	28	29	30
天庭	輔角	司空	邊城	中正	邱陵	塚墓	印堂	左山林	右山林
31	32	33	34	35	36	37	38	39	40
凌雲	紫氣	繁霞	彩霞	太陽	太陰	中陽	中陰	少陽	少陰
41	42	43	44	45	46,47	48	49	50	51
山根	精舍	光殿	年上	壽上	顴骨	準頭	蘭台	廷尉	人中
52,53	54	55	56,57	58,59	60	61	62	63	64
仙庫	食倉	祿倉	法令	虎耳	水星	承漿	左地庫	右地庫	陂池
65	66,67	68,69	70	71	72,73	74,75	76,77	78,79	80,81
鵝鴨	金縷	歸來	訟堂	地閣	奴僕	腮骨	子	丑	寅
82,83	84,85	86,87	88,89	90,91	92,93	94,95	96,97	98,99	100
卯	辰	巳	午	未	申	酉	戌	亥	再從耳起

女性百歲圖

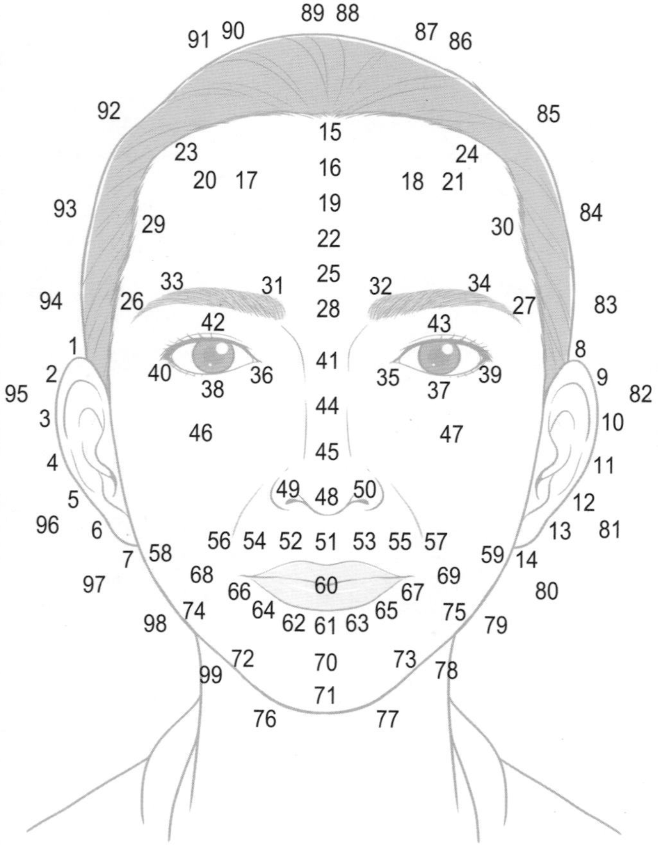

1,2,3	4	5,6,7	8,9,10	11	12,13,14	15	16	17	18
天輪	人輪	地輪	天輪	天城	天廓	火星	天中	日角	月角
19	20,21	22	23,24	25	26	27	28	29	30
天庭	輔角	司空	邊城	中正	塚墓	邱陵	印堂	右山林	左山林
31	32	33	34	35	36	37	38	39	40
紫氣	凌雲	彩霞	繁霞	太陽	太陰	中陽	中陰	少陽	少陰
41	42	43	44	45	46,47	48	49	50	51
山根	光殿	精舍	年上	壽上	顴骨	準頭	廷尉	蘭台	人中
52,53	54	55	56,57	58,59	60	61	62	63	64
仙庫	祿倉	食倉	法令	虎耳	水星	承漿	右地庫	左地庫	鵝鴨
65	66,67	68,69	70	71	72,73	74,75	76,77	78,79	80,81
陂池	金縷	歸來	訟堂	地閣	奴僕	腮骨	子	亥	戌
82,83	84,85	86,87	88,89	90,91	92,93	94,95	96,97	98,99	100
酉	申	未	午	巳	辰	卯	寅	丑	再從耳起

1至7歲

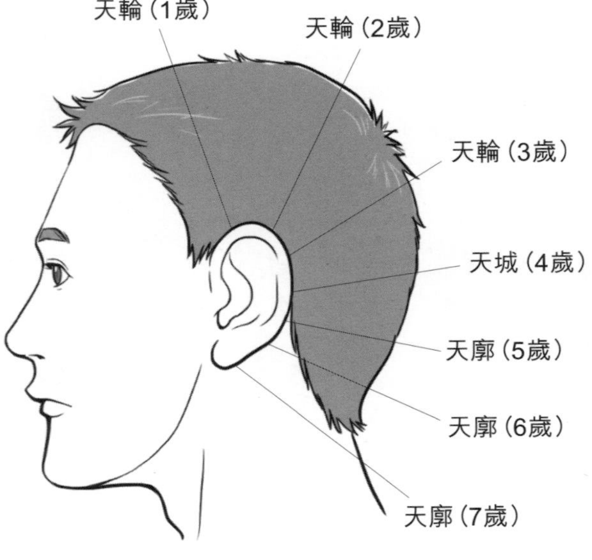

男性，一至七歲是行左耳。

耳的高低以齊眼為標準，高過眼尾者為高，低過眼尾者為低。

如耳高齊眉者，則能夠成名。

耳仔高會成名是指成年後之事，當然，你是神童輝又當別論。

但由於耳是主童年之運程，耳相好，是主童年病痛少、易養、聽話、易教，也代表父母行運。

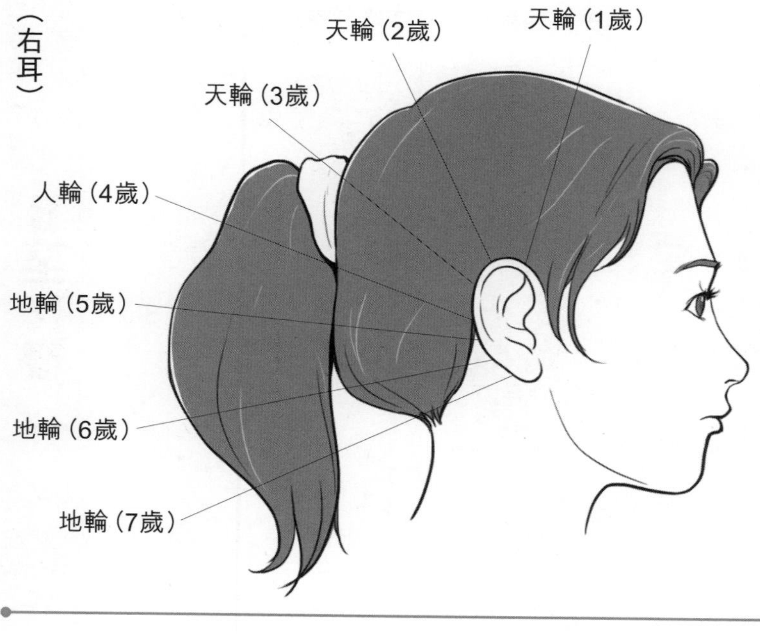

女性，一至七歲是行右耳。

女性的耳以柔軟適度為好，不要太硬，硬則硬頸；亦不宜太軟，太軟則沒有主見、隨便，亦會吃虧。

耳以圓滑、無缺，耳廓無反出，厚薄適宜、無癦、無崩缺為合格。

命門凹陷，多是童年難養，很難過到十二歲。

8至14歲

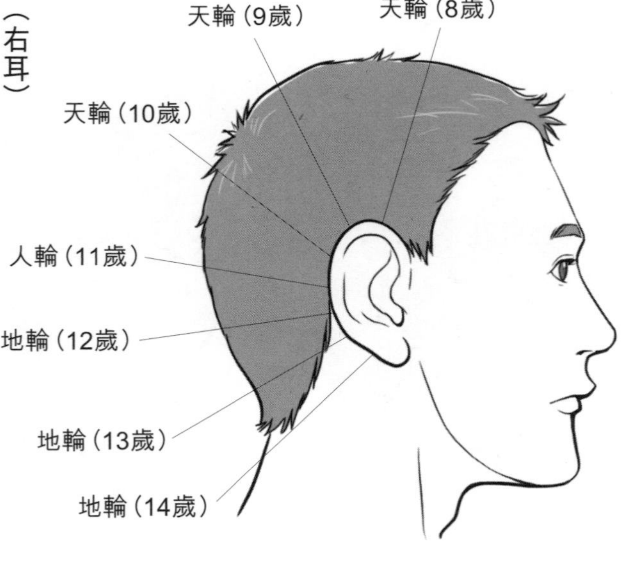

男性，八至十四歲是行右耳。

耳是不隨意肌，在大多數情況下是不會隨表情而變化，所以，若有崩缺的，主八至十四歲期間會有病痛，甚則大病，看崩缺的部位便知何年有事發生。

耳如有崩缺，宜契神、契人。

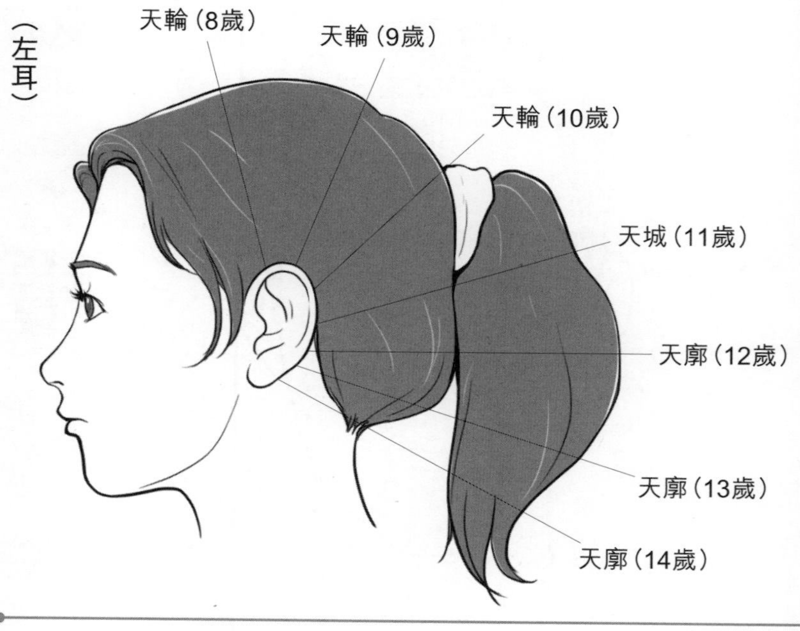

女性，八至十四歲是行左耳。

耳以色白於面為好，耳常帶微紅，表示精力旺盛。

耳忌有濛濛黑氣，多主有病，尤其易有腎病。面如水洗耳生塵。

兩耳形態不同，有同父異母之兄弟。

八至十四歲是讀小學的時期，耳朵貼面則是乖學生，聽教聽話，反叛性不強。

兜風耳、輪飛廓反、風門闊則不易受教。

15歲

男性，十五歲之流年部位名叫火星。

火星位置，是在前額髮際之最高處。

我們習慣將額頂叫火星，是在面部的上方；而在面部的下方，即下巴之位置，亦即地閣所在，則叫水星，南北互相呼應。南方人主額高而廣，北方人主下巴兜長，此是正格。

火星以平滿、無疤痕、缺陷、髮腳齊為合格。

氣色宜鮮明紅潤，主少年運佳、身心兩健。如額色暗滯，主少年運差，諸事不利。

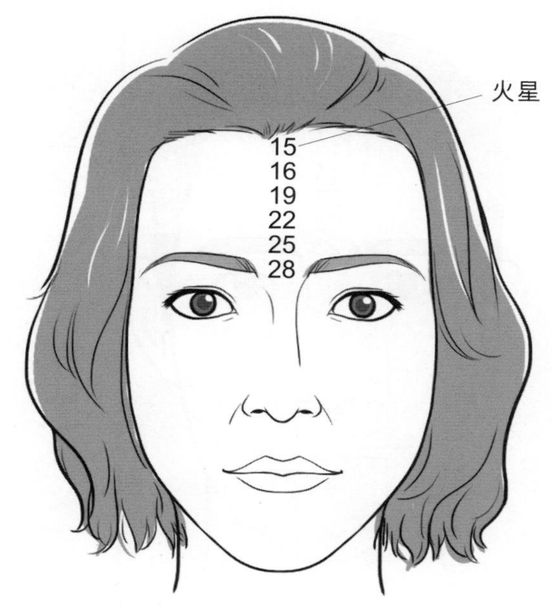

女性，十五歲之流年部位與男性相同，都是行火星。

部位同樣以平滿、無疤痕、缺陷、髮腳齊為好，喜圓潤，忌尖窄；反之，如有紋破、缺陷，則運程不利。

氣色亦是宜鮮明紅潤，則諸事順利；如額色暗滯，則少年運滯，讀書不理想。

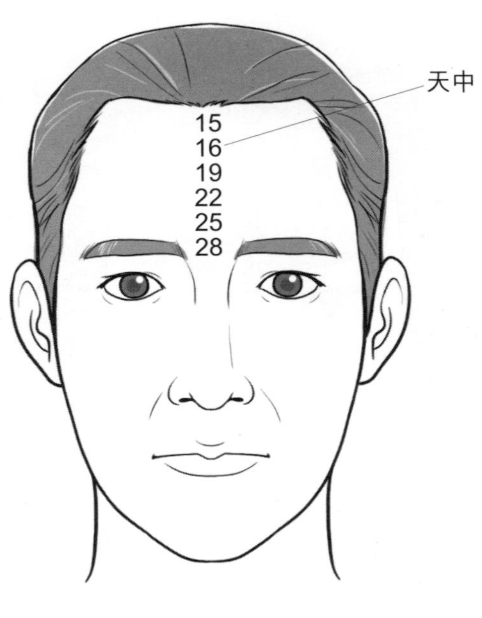

16歲

男性，十六歲之流年部位叫天中，正正是在火星微微對下之地方，卻又在天庭之上。

天中宜平滿，主貴氣，如有缺陷則主貧賤，反映家運不好，父母皆行滯運，讀書成績亦欠佳。

氣色明潤，則生活悠閑，無紋破者，則無憂無慮。如青暗黑滯，則生活困頓，要做兼職幫補家計。

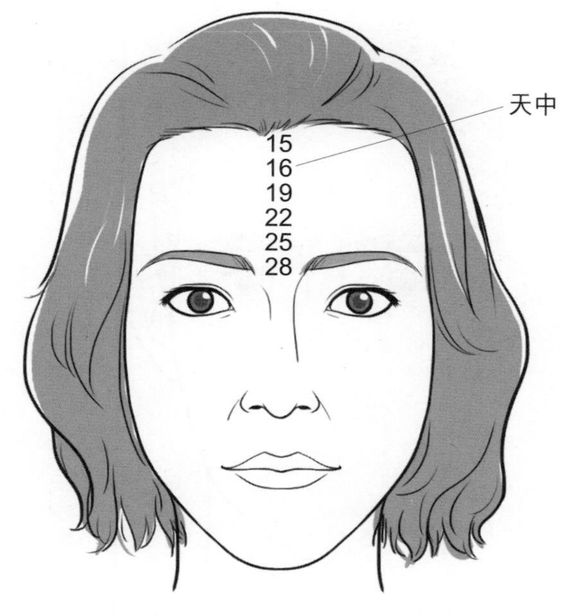

女性，十六歲之流年部位都是行天中。

天中之位置，正好在美人啄之位置，在額頂正中的地方髮腳微微向下生出，如雞嘴啄出的樣子。

所謂「金雞照明堂，少年走忙忙」，很早便會出來社會做事，又或入讀寄宿學校，或到親戚朋友家中暫住，亦可能是到外國讀書。

「金雞照明堂」者，髮腳會遮蓋了火星這個十五歲的流年部位，故十五歲的運程亦會受到影響。

17歲至18歲

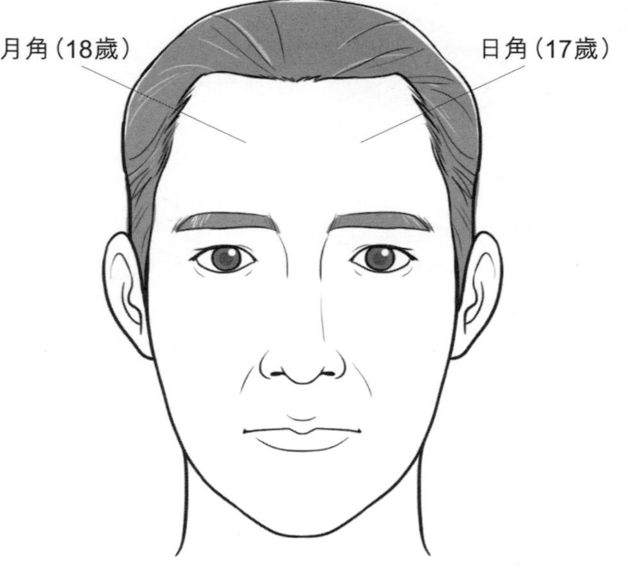

男性，十七歲流年部位是行日角，而十八歲則行月角。

日角是在天庭之左邊，而月角則是在天庭之右邊。

日角主父親，月角主母親，此乃觀察父母之宮位也。所謂「額角巉巉父早喪，山根低陷母先亡」，這裏所指的額角是指父母宮，如日角低陷傾斜，則父親早逝；如月角不佳，則母親有問題。當然，還要詳觀耳朵、額頭、眉毛及眼睛才可判斷。

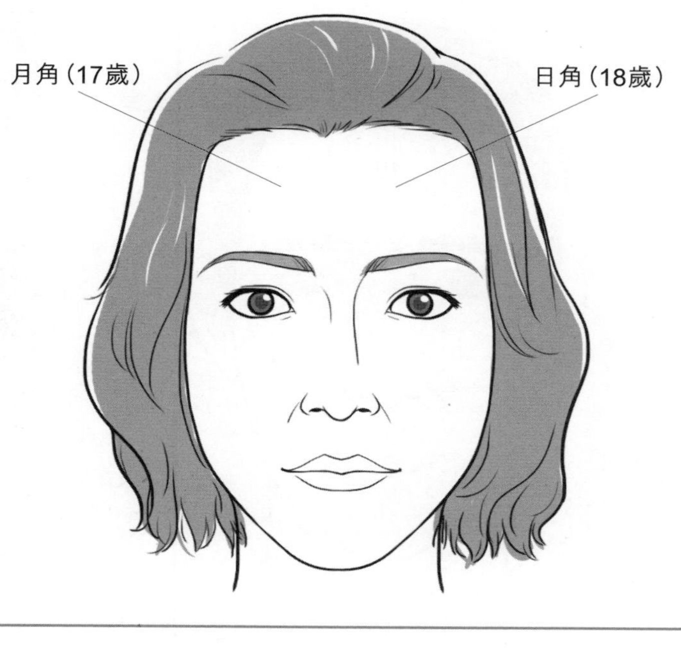

女性，十七歲流年部位是行月角，而十八歲則行日角，剛好與男性相反。

但日角、月角在額上的位置與男性相同，在天庭的左邊為日角，在天庭的右邊是月角，只是行運之歲數不同，不要弄錯。

既然日角、月角是代表父母，故以豐潤、平滿為吉，則父母身體健康。

如日角色暗主刑父，月角色暗主刑母，男女同論。

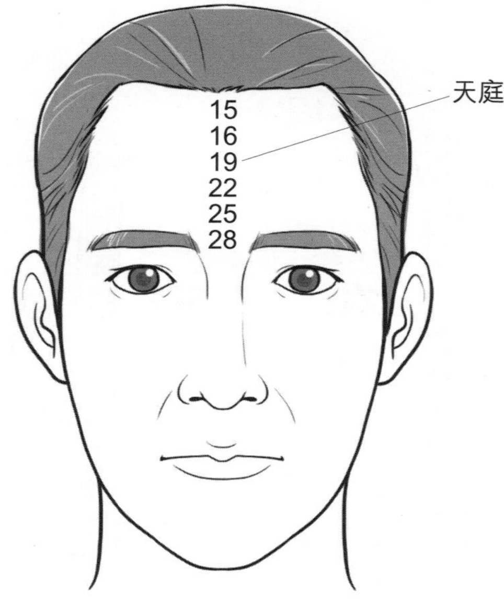

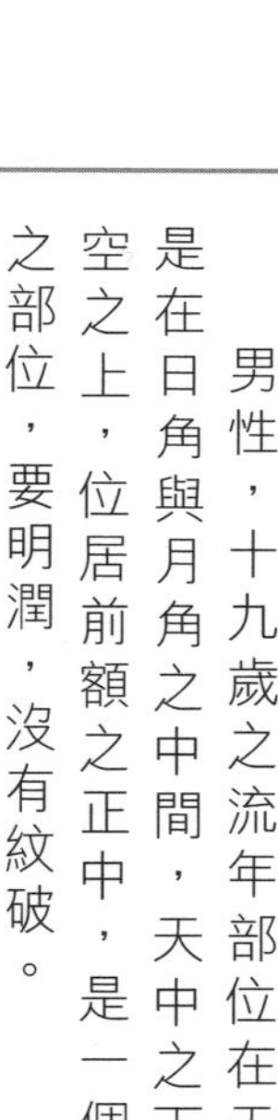

19歲

男性，十九歲之流年部位在天庭，是在日角與月角之中間，天中之下，司空之上，位居前額之正中，是一個重要之部位，要明潤，沒有紋破。

天庭主貴，如平潤而骨起，鼻直透山根，通過印堂而直上天庭，十九歲之年必行佳運，公開考試會金榜題名，取得好成績。

由於日角及月角拱夾着天庭，故觀看天庭亦不能忽略此兩部位之好壞。

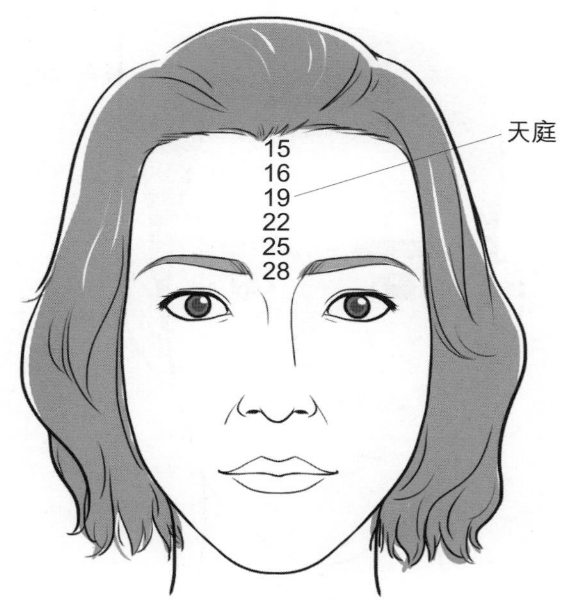

女性，十九歲之流年部位亦是行天庭，與男性一樣。

天庭，位居前額正中，是十三氣勢部位之一，故位置極為重要，不宜有破陷紋侵，若加上山根低陷、鼻樑起節及鼻歪者，則十九歲之年必逢惡運。

如眼有紅絲貫睛，主考試求謀，不能遂意，「何知人家不及第，眼中赤脈如絲曳」。

20歲至21歲

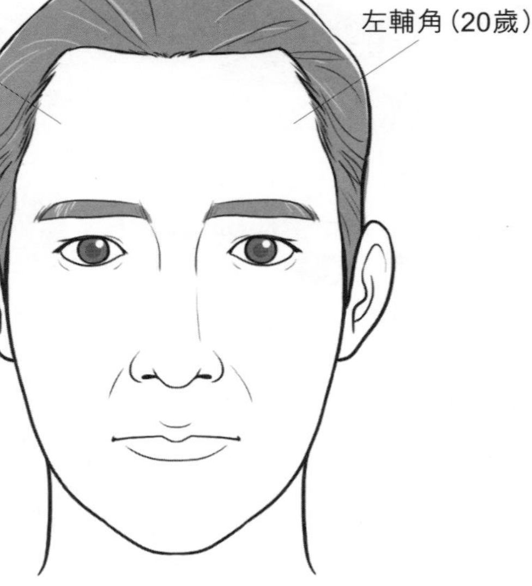

男性，二十歲運行左輔角，而二十一歲則行右輔角。

左輔角是在日角之左邊，約在左眉尾之上，與天中差不多在同一水平之位置。而右輔角則在月角之右邊，約在右眉尾之上，與天中成水平。

輔角名之輔角，原因就是在日、月之旁，輔助日、月，所以名為輔角。

女性，二十歲運行右輔角，二十一歲則運行左輔角。

輔角者，輔助日、月也。但在「雲流法」而言，亦應兼看年壽及口，如鼻樑高平直上，口形配合得宜，左右輔角骨起，則此兩年之運氣甚佳。

此部位氣色宜明瑩紅潤，主青年運佳，如烏暗色滯，主外出有災難。

22歲

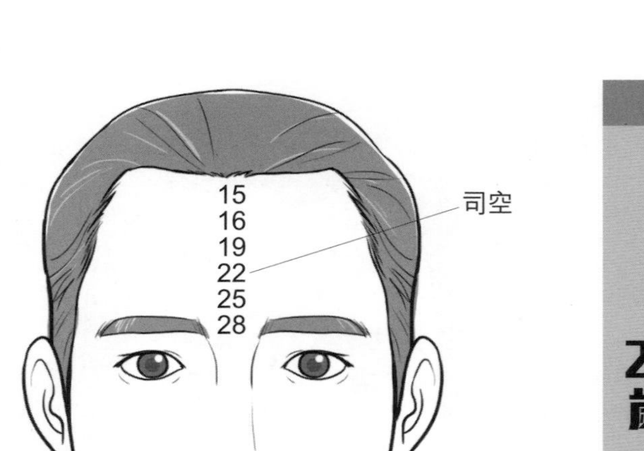

男性，二十二歲運行司空，亦是額運一個重要的流年部位。

「準頭對司空，揚名於祖宗」，如司空平滿明潤無缺，鼻頭圓潤明亮，必會出名。

司空的位置是在天庭之下，中正之上，是十三氣勢部位之一，是看自身亦是通關位。

一生要明潤之色，不宜赤、青二色，有則主凶災。

司空最宜平正，如痕破紋侵，及有黑痣者，不宜從事政府工作。

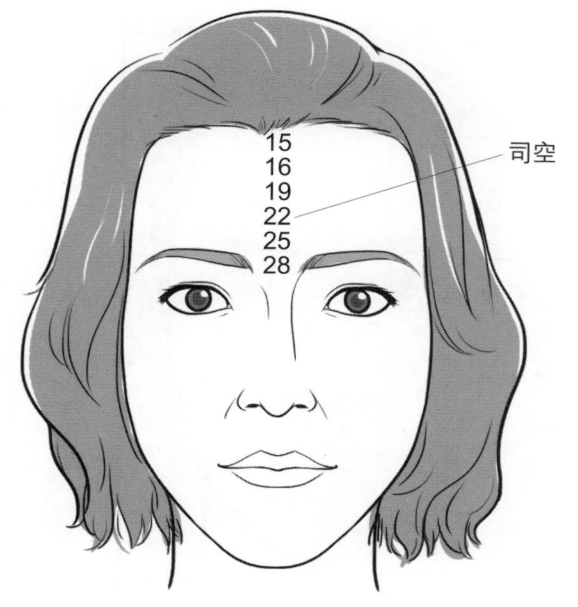

女性，二十二歲之行運部位與男性一樣，都是司空。

司空，是古代之官名。在相學上，司空亦是官祿之一，所以，欲從事政府政務官者，要自問司空部位生得好才可去應徵，否則只是陪跑分子。

成語中有一句叫「司空見慣」，表示看慣了的事不足為奇，如果在面相上司空生得好，而鼻直及準頭圓渾，則「出盡風頭」是平常事，果真是「司空見慣」。

「準頭對司空」多是專業人士，「師」字級人馬，例如律師、會計師、醫師等。

右邊城（24歲）

左邊城（23歲）

23歲至24歲

男性，二十三歲運行左邊城，二十四歲行右邊城。

邊城者，即驛馬也，「驛馬高生，遠走他方」，所以驛馬高者，想移民也比較容易。

此部位之氣勢最宜豐滿，額頭廣闊，色澤鮮明，流年必屬好運。

兩邊驛馬有骨微微隆起者，主顯貴，很適合任職紀律部隊或武職。如坑陷再見黑痣，出門會遇危險之事。

邊城脹起，是謂有「景陽之氣」，是將門之後，祖先曾有人是大將軍。

女性，二十三歲運行右邊城，而二十四歲則行左邊城，與男性相反。

驛馬高者，最宜擔任經常要出門之工作。

氣色宜明潤，主時運吉順，出門順景，有一個愉快之旅程。

若紅色成片，或青色浮現，則不宜出門，主凶。

如黑氣如煙霧，則會客死異地。

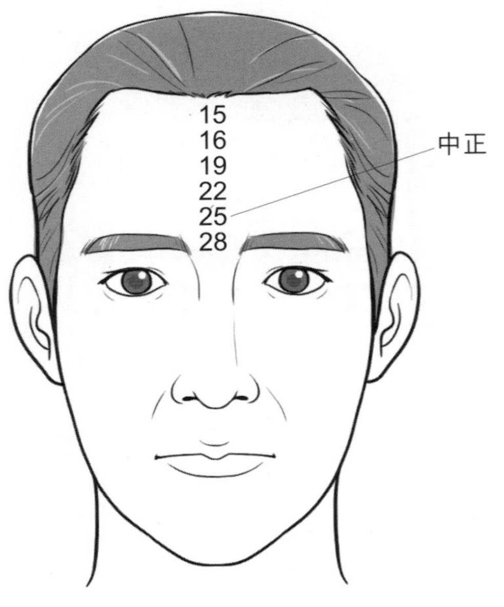

25歲

男性，二十五歲運行中正，位置是在司空之下，印堂之上。

中正者，最宜廣闊而骨起、無紋沖、疤痕、破陷為佳。

看中正的流年運程，宜兼看兩眉、山根及兩耳。兩眉宜清，山根宜起，兩耳宜有垂珠及朝口，耳廓不反，則二十五歲之流年必然事事順意，升職加薪。

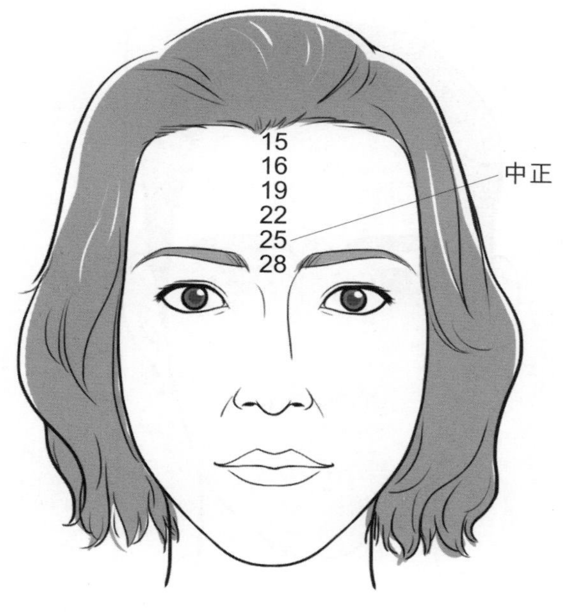

女性，二十五歲之流年部位亦是在中正，與男性一樣。

如中正凹陷畸斜，眉頭豎起而帶殺，山根折斷，耳朵輪飛廓反或薄而崩缺者，此年運程必然很差。

此部位氣色不宜青黑暗滯，否則為官者亦會烏紗不保。

26歲至27歲

塚墓（27歲）

邱陵（26歲）

男性，二十六歲運行邱陵，二十七歲則行塚墓。

邱陵，是在左邊眉尾之旁邊三角處，而塚墓則在右邊眉尾之旁邊三角處，即俗謂「暈精」之位置。

邱陵、塚墓者，小山的意思，顧名思義，亦知是與祖先墳墓有關。看父母、祖父母等近親之墳葬得好不好，就要看這個位置。

如此部位凹陷，表示祖墳失修，塌陷或先人骸骨未能入土為安。

如呈紅色，則表示有新山拜。

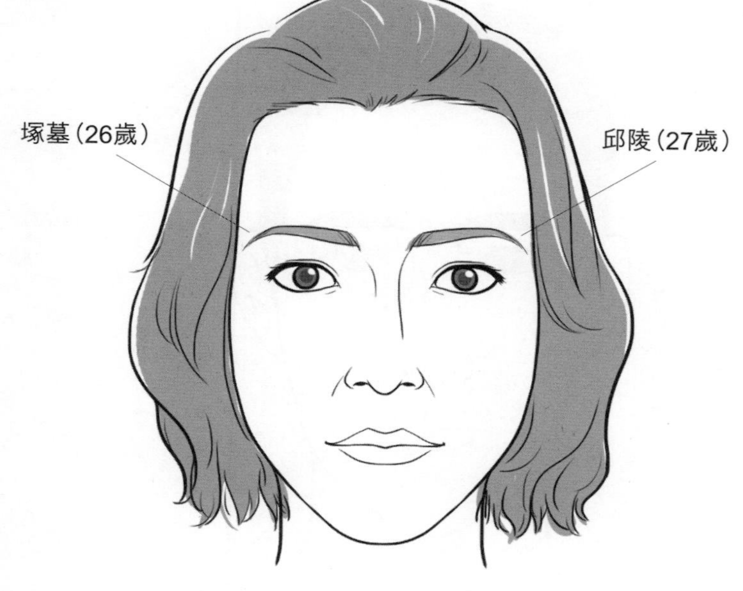

女性，二十六歲運行塚墓，二十七歲行邱陵。

若邱陵、塚墓位置脹起而有光澤，主得祖先庇蔭之福，父母或祖父母之墳葬得好。

如色黑暗而凹陷，則祖先山墳出問題，主棺木有蟲蟻蛀蝕、樹根破棺、入水、屍骨不化，甚至倒塌，需要重修或起出再葬。

此部位之氣色有一個特點，是不忌青色，但大忌深紅赤色，災殃之至。

還有，此部位凹陷之人，決斷力差，尤少發達希望。

28歲

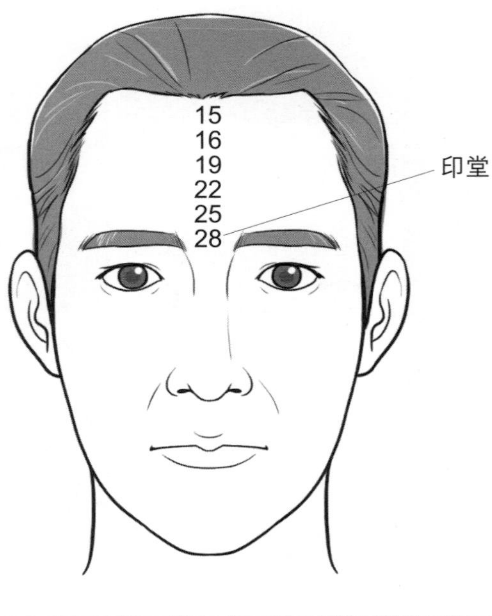

男性，二十八歲流年部位是在印堂。

印堂，是人一生中最主要之部位。古人有云：「看相先看命宮，命宮生在兩眉中」，命宮就是指印堂，是看一生之自身，宜飽滿，氣色要明潤，闊窄以放進兩隻手指為標準。

印堂狹窄心胸窄，印堂廣闊心胸闊。

「印堂黑影就要買定棺材」，所以印堂之色大忌黑滯。

赤色，主官非。

青暗色，主災病。

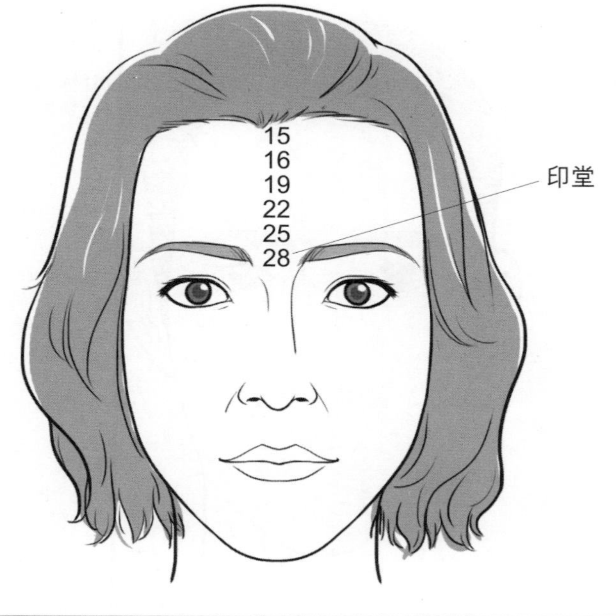

女性，二十八歲之流年部位亦是在印堂。

印堂，位於兩眉之間，中正之下，山根之上。

印堂是氣色聚散最重要之地方，所以關係一生之禍福，並非只管二十八歲之運程，此點請大家留意。

印堂色宜黃明而潤，而透紅光，主大吉大利，升職進財。婦女見此色則旺夫。

女性之印堂不宜太闊，否則對性方面比較隨便，難免吃虧。

29歲至30歲

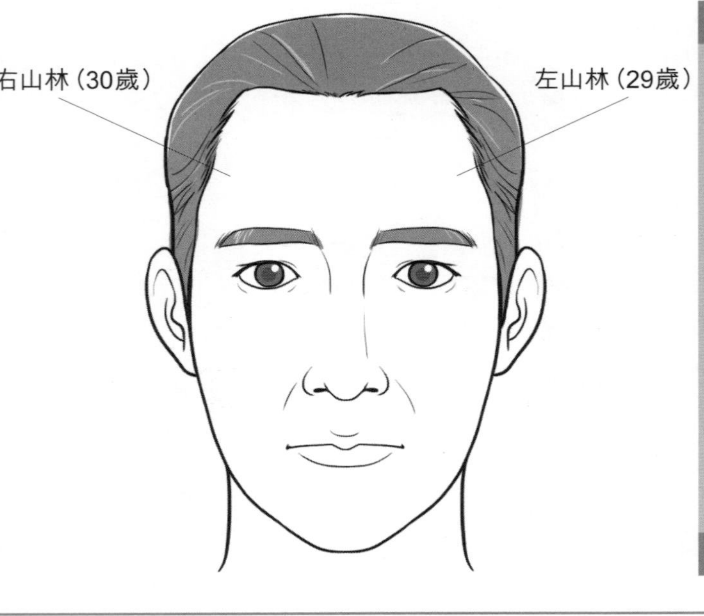

男性，二十九歲運行左山林，三十歲行右山林。

山林正確的位置是在耳仔對上吋半對出髮鬢之大曲處，即邱陵、塚墓對上，古稱天倉，所謂「眉拂天倉」的位置。

邱陵、塚墓是看父母或祖父母的墳葬得好不好，而左右山林則是看太公以上幾代之祖墳之風水。所以，如果這部位隆起無缺，則家山風水很好；反之，如凹陷，就是祖蔭不足。

此部位代表記性，如飽滿脹起，則記憶力強；反之，如凹陷則記性差。

女性，二十九歲是運行右山林，三十歲則行左山林。

山林者，大山也。邱陵、塚墓者，小山也。大山必在小山之上，墳墓應藏在山林之內，所以山林是在邱陵、塚墓對上之位置。

古人有云：「三十印堂英帶殺」，就是指行山林部位時，要同時觀看印堂是否「印堂帶殺」，指是否有「懸針破印」、眉頭交連、眉頭之眉毛豎起或破陷等，如印堂帶殺，在三十歲之流年，必見凶險。

山林低陷者貧賤，女性尤忌。

31歲至34歲

紫氣（32歲）　凌雲（31歲）

彩霞（34歲）　繁霞（33歲）

男性，三十一歲運行左眉頭（凌雲），三十二歲行右眉頭（紫氣），三十三歲行左眉尾（繁霞），三十四歲行右眉尾（彩霞）。

眉為性，眼為心，看一個人之性格，就從眉入手。

眉者，媚也，嫵媚之態或威嚴之勢皆由眉之形態表露無遺。

淡掃娥眉——試想想將關公兩道眉換上新月眉後會變成什麼樣子？眉宇軒昂——或將粗大之眉放在女子面上，立即便變成「男人婆」了。

眉之濃淡或粗幼，以至高低長短，皆與人之性情行為有深切之關係。

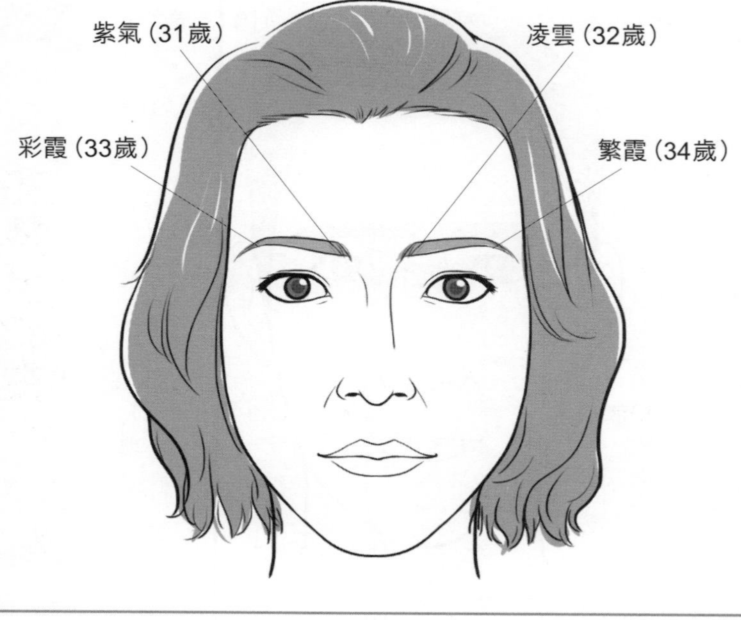

女性，三十一歲運行右眉頭（紫氣），三十二歲行左眉頭（凌雲），三十三歲行右眉尾（彩霞），三十四歲行左眉尾（繁霞）。

眉粗者，器量大，粗心大意；眉細者，器量較小，但較細心，所以女性之眉多屬幼細。

如女生男眉，則性格必類男性。

眉內宜明亮有光澤。

眉內紅潤，主財、官兩旺。

眉內紫色貫通印堂者，主其人擁有大權與大財。

眉又為兄弟宮，所以眉內白如珠點者，主兄弟、姊妹孝服。

35歲至40歲

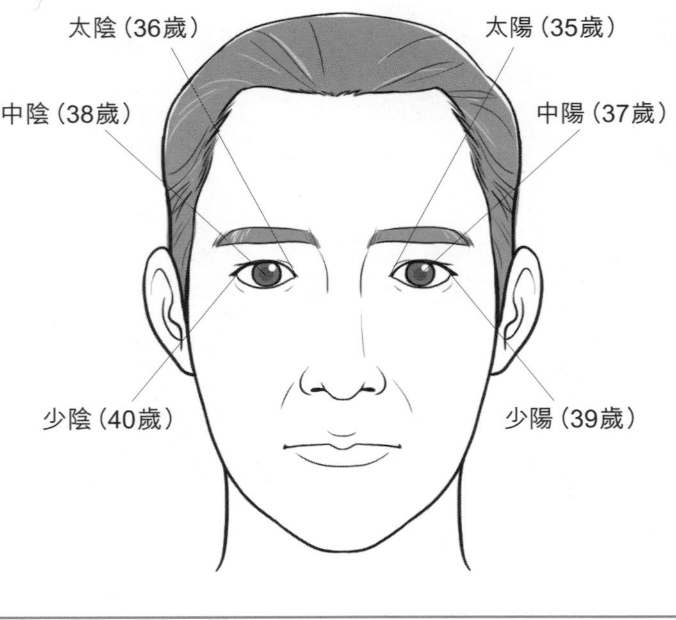

男性，三十五歲運行左眼頭（太陽），三十六歲行右眼頭（太陰），三十七歲行左眼珠（中陽），三十八歲行右眼珠（中陰），三十九歲行左眼尾（少陽），四十歲行右眼尾（少陰）。

眉為性，眼為心。眼是無法裝模作樣的，有痛症之人，會眼浦、眼露、眼定定。見鬼的人，亦是眼定定。

左眼頭，看大兒子；右眼頭，看大女兒。左眼珠，看二兒子；右眼珠，看二女兒。左眼尾，看小兒子；右眼尾，看小女兒。男女同斷。

如失明人士無眼珠者，就要看眼形，例如長短、三角形等。

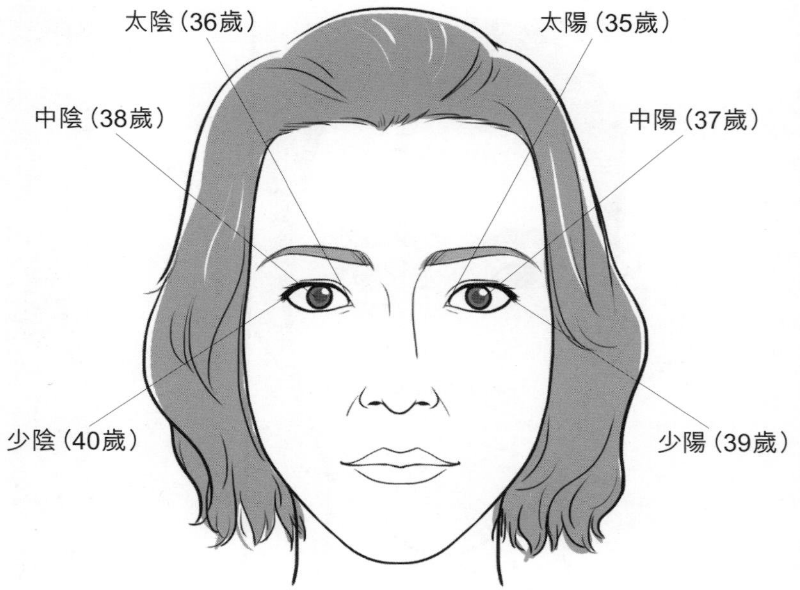

女性，要特別注意三十五至四十歲此六年所行之流年部位與男性完全一樣，毋須左右互相掉轉，此是在女性面相流年最特別之處，請讀者牢記，不要弄錯。

眼為靈魂之窗，故宜黑白分明。女性之眼最忌帶哀怨及有淚痕，主婚姻不利。

眼頭之下為龍宮，眼下為臥蠶，皆主兒女之事，色宜明潤，不宜暗滯。

眼黑定有難題未解決，或男女間感情出問題，亦主兒女有事。

眼肚現黑氣，起碼有五年衰運。

41歲

山根

山根之位置是在兩眼之間，在印堂之下。

如山之來脈，上接額頭之南山，下接準頭之中嶽，故稱為山根。

山根不宜折斷、有橫紋。山根生得低的人，一生辛苦，要靠自己；山根高者，一生逢凶化吉，永無絕路。

山根亦與母親有關，所謂「山根低陷母先亡」。

此部位宜紅潤黃明，主身體健康及家宅之運佳，忌見青、黑、枯白，主孝服、疾病、凶災。

女性，四十一歲之流年部位亦是山根。

山根位居通關運，亦是十三氣勢部位之一，更是由眉、目運轉至顴、鼻運的轉角位，故此位置非常重要。

由額頂行運自上而下，到山根是第一處遇到凹下去的地方，所以如果山根低折，鼻樑歪斜，這年會遭大挫折。

反之，如山根高聳，沒有紋破或疤痕，鼻樑骨直而有肉，地閣圓而朝，此年會平地一聲雷，驟起而發。

光殿（43歲）

精舍（42歲）

42歲至43歲

男性，四十二歲運行精舍，四十三歲行光殿。

精舍者，精神所居之屋舍；光殿者，神光所處之殿堂。精光內斂，就是人生精氣與靈光所匯聚之處。

精舍者，就是指整隻左眼；光殿者，就是指整隻右眼。

在三十五至四十歲所行之眼運，每一年只是行眼其中的一部分，例如三十五歲行左眼頭，三十七歲行左眼珠，而三十九歲則行左眼尾，但精舍則更包括上眼皮之田宅位及眼肚之臥蠶位，所以眼之好壞，足足影響八年之運程，絕不能小覷。

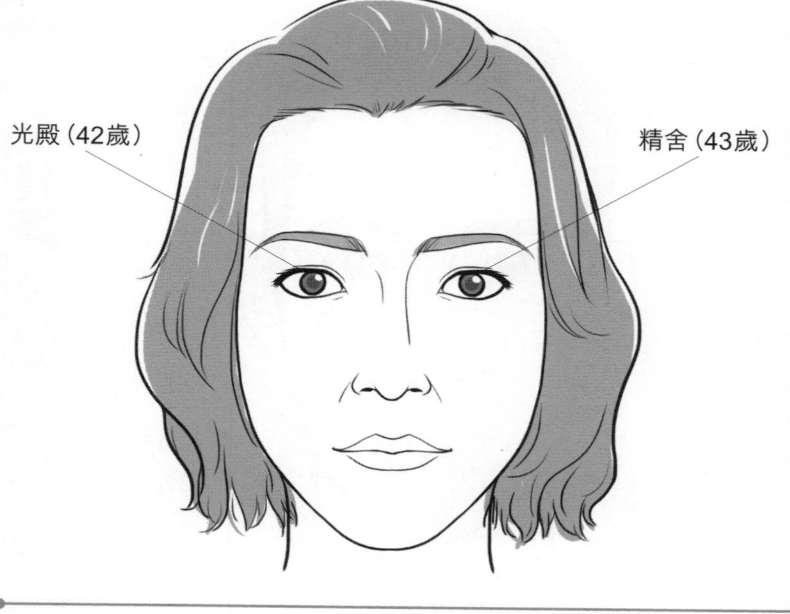

女性，四十二歲運行光殿，四十三歲行精舍。

眼是郁動的位置，如眼無神，做什麼都不成功，先合後散，多病痛。

眼神好，行到此部位時，會有事業發展、擴充、搬屋、助夫。

女性如有淚眼，眼神怨，主婚姻不美。

女性眼神宜端正，不宜斜視看人，否則男女關係多糾纏不清，所謂「見人掩面偷斜看，私情密約任偷香」。相隨心現，慎之、慎之。

四十二歲及四十三歲乃識限運，是兩個關口，最宜見喜事，否則易見白事，「一喜擋三災，無喜百樣來」。

44歲至45歲

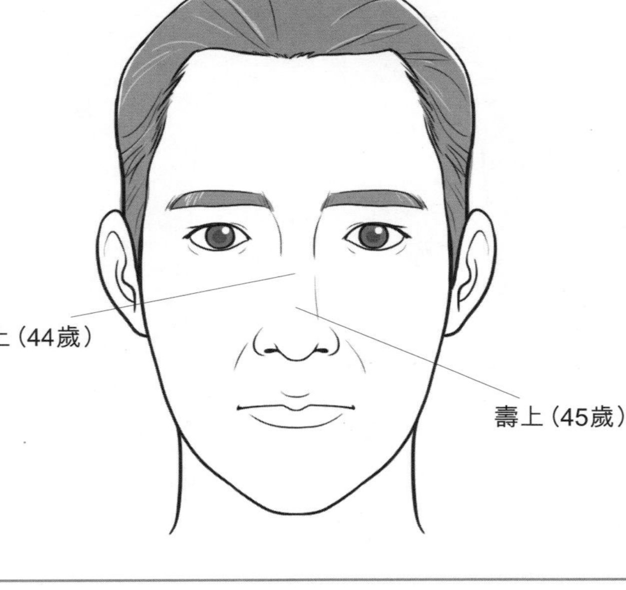

男性，四十四歲運行年上，四十五歲行壽上。年上、壽上，即是在俗稱鼻樑的位置。

年上、壽上又稱疾厄宮，「青筋現鼻樑，無事喊三場」，所以此部位之氣色最宜黃明，主大吉大利。

但與準頭氣色不一致，則主運滯。

鼻樑宜直，有肉包裹，不宜起節、尖削無肉，否則中年事業必遭一次大挫折，加上鼻歪斜不正，則更要小心。

十男九痔，如鼻樑上有痣，定必應驗，如痣形惡如一片者，則是為痛，痛苦萬分。

女性如鼻頭有肉，顴位好，就可以做生意、置業。自己運好，亦能幫夫，如丈夫做生意，可以擴充。如此部位不好，這年就會離婚。

年上、壽上如現黑氣，是家宅內有病人或自己有病，特別要留心老人家健康。

女性鼻樑尖削如刀，稱為「劍脊鼻」，會刑剋丈夫。

年上、壽上有直紋，會收養乾兒子、乾女兒或領養子女。

觀鼻樑必兼看兩耳、兩眉及印堂，如耳有垂珠朝口，眉不鎖印而印堂平滿無紋，則四十四及四十五歲此兩年定逢佳運。

46歲至47歲

右顴（47歲）

左顴（46歲）

男性，四十六歲運行左顴，四十七歲行右顴。

顴者，權也，從來未有無顴者而有權。

顴，必定以藏而不露為吉，才能手握實權。

顴，以有肉包裹為藏，無肉包藏見骨者為露。露者，勞碌奔波而已。

顴，主地位，但不宜過高，亦不宜過低。顴過高，功高蓋主，不是好兆；顴過低，則大權旁落，權力被架空。顴的高低以與年上同一水平為好，過之則為高，不及之為低。

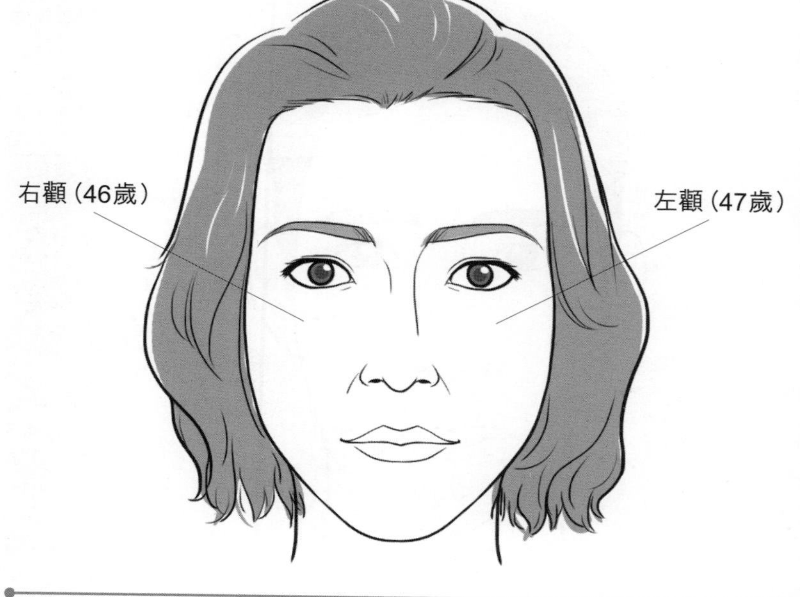

女性，四十六歲運行右顴，四十七歲行左顴。

女性之顴，最宜豐隆有肉，不偏不倚，不高不低，不大不小，與鼻賓主相稱，互相輝映，則能旺夫相子，富貴雙全。

假若顴大鼻小，鼻為夫星，鼻小被壓，妻奪夫權，多為繼室之命。

如傾斜低陷，心無慈愛，人多奸邪，富貴何來？

顴高而橫，性尤兇暴，剋夫之相，所謂顴高額凸，三夫不了。

顴上生黑色雀斑，更防丈夫肝病。

48歲

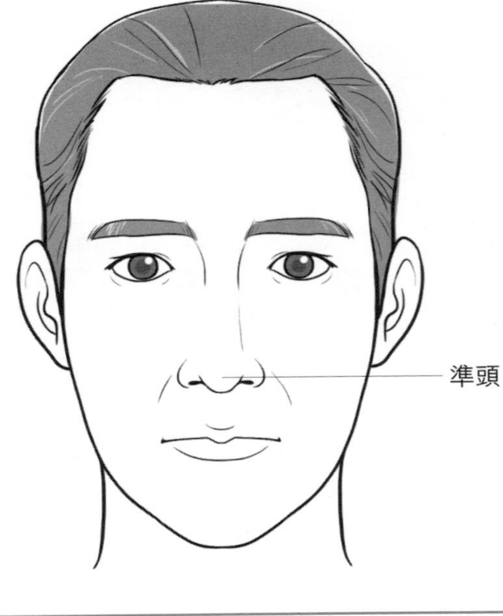

準頭者，亦即鼻頭。看一個人的財富、良心。

「問富在鼻」，鼻為財星，如雙顴配合有勢，口角向上，唇齒相照，則是年財星臨門。

「鼻頭有肉心無毒」，有良心之人也。「準頭對司空，揚名於祖宗」，鼻直、鼻頭有肉，而司空部位平滿的人，多能享有名聲。

鼻要高，「中嶽要高隆，聲名遠九重」，但所謂高隆，是以適者為度，與顴相襯，否則只是孤寡之命而不是富貴雙全、聲名遠播之命。

準頭

男性鼻為財星，在女性而言則是夫星，是觀察丈夫貧富的指標。

女性顴與鼻要相配，鼻有氣勢而兩顴隱隱有肉包藏，則丈夫可以從商，貴為「事頭婆」。

鼻直而高，鼻頭有肉，丈夫為專業人士，身材肥胖。

「一點黃光一點財」，此部位宜黃潤透光，其他色皆不吉。

「準頭青現身沾恙」，青色浮現，主健康出問題。

49歲至50歲

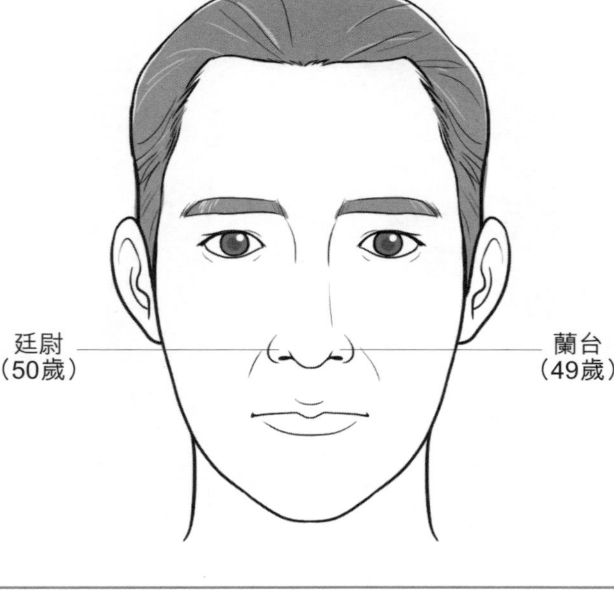

蘭台，即左鼻翼；廷尉，是右鼻翼，如想方便記憶，可用左、右鼻翼代替部位名稱。

蘭台、廷尉皆古代之官名，將鼻翼配名蘭台、廷尉，是取其收藏財帛之義。

顴是看名譽、地位，不是看財。看財要看鼻，鼻準有肉，兩邊鼻翼橫張，有勢有肉，才有橫財。

還要配額，如顴細鼻大，就是孤峰獨聳。此部位之氣色最宜黃明，大忌青黑暗晦。

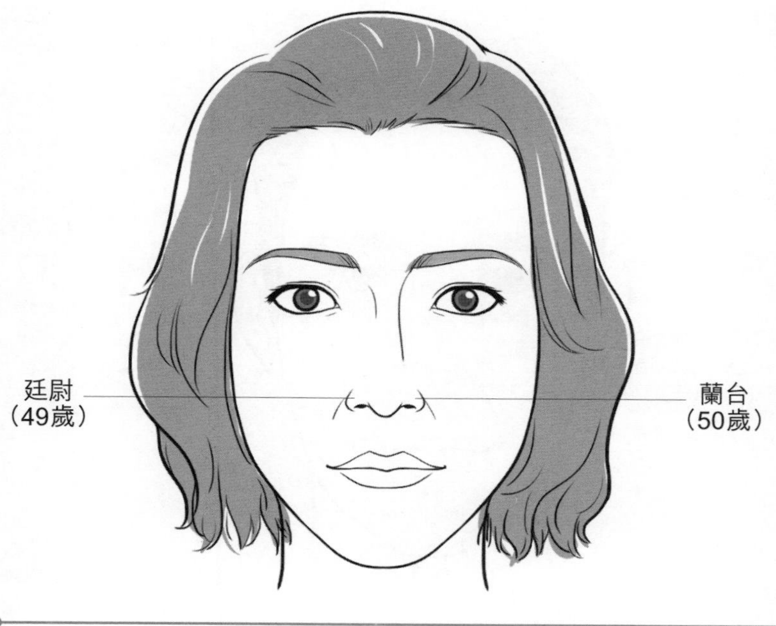

蘭台、廷尉是用以觀看錢財的重要部位之一。蘭台、廷尉又稱井灶，井灶露即鼻孔露也。

此兩部位愈厚肉，愈廣闊，愈方大，賺錢愈快。

反之，愈薄愈細，就賺不到快錢，賺錢很慢，要滴水成河。

觀蘭台、廷尉，要兼看兩耳、雙眼及水星，若耳崩缺，雙眼無神，口齒不正，縱然蘭台、廷尉生得好，亦難發達。

如蘭台、廷尉有破損者，流年更宜留神財政出現嚴重困難，很容易破產。

51歲

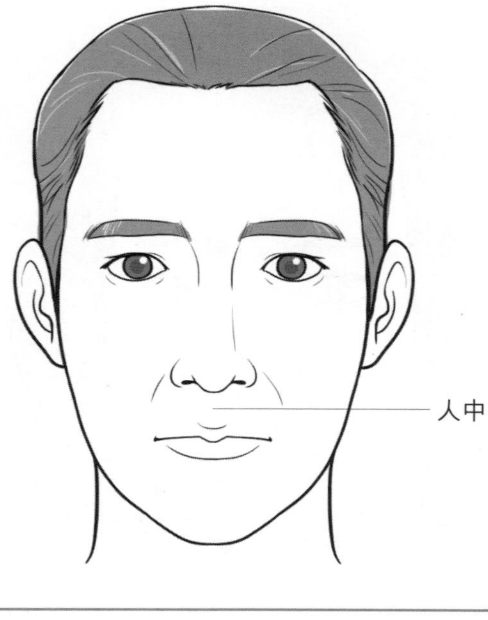

人中，是連貫鼻與口之通道，由鼻（土星）轉落口（水星），能否通關，就要看人中，這是通關的主要部位。

最宜見喜事，否則易見白事。

十三氣勢部位自額頭由上而下，行到山根為第一道關卡，到人中便遇到第二重阻力，必要留神。

人中又名中沖，人生旅途到此為一個大關口，壽元、財帛、子嗣，皆因此而沖，沖得過就平安，「一喜擋三災，無喜百事來」。

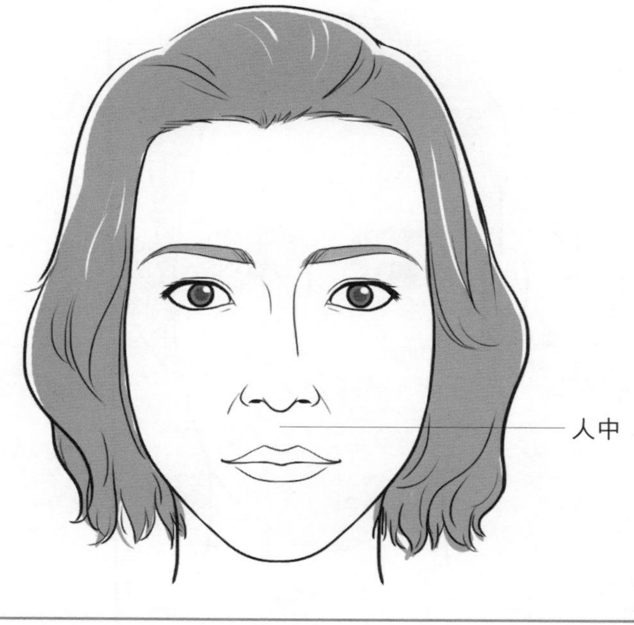

人中與女性之關係極之密切。

人中又名子庭，子庭就是西醫所稱的子宮。人中的形態與氣色，與子宮的病變有非常密切的關係。

子宮有病，人中會現青黑之色；但當子宮之病癒後，青黑之色就會散去。

人中如江河，無阻塞則流暢而不滯，故人中總以深、闊為宜。

人中細而狹窄，衣食逼迫。

「人中平平，子女難成」，人中平滿的女性比較難有子嗣。

人中有橫紋之女性，有紅杏出牆之象。

52歲至53歲

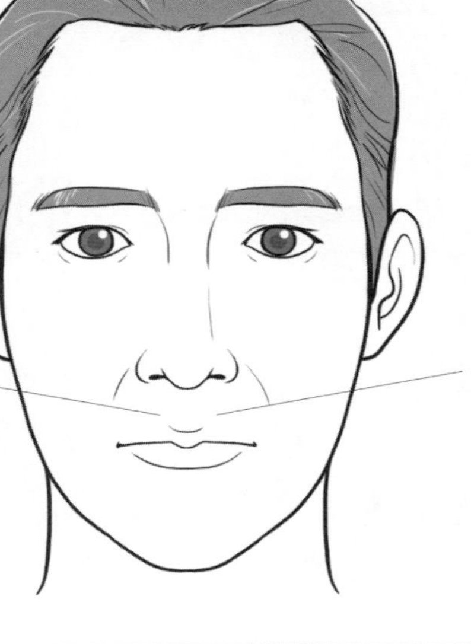

男性，五十二歲運行左仙庫，五十三歲行右仙庫。

仙庫是位於人中的兩旁，左鼻孔對下的地方為左仙庫，右鼻孔對下之地方為右仙庫，左右各一，夾着人中。

仙庫是象徵收藏聚積食物之地方，所以都以豐滿、無紋破為佳。

患兔唇者，多在此部位有裂紋，流年五十二歲及五十三歲，防有意外。

當婦女懷孕的時候，在室內大興土木會增加小孩有兔唇之機會，蛋白質是帶有電荷的物質，改變磁場會觸動基因遺傳密碼的改變，你願意冒這個險嗎？

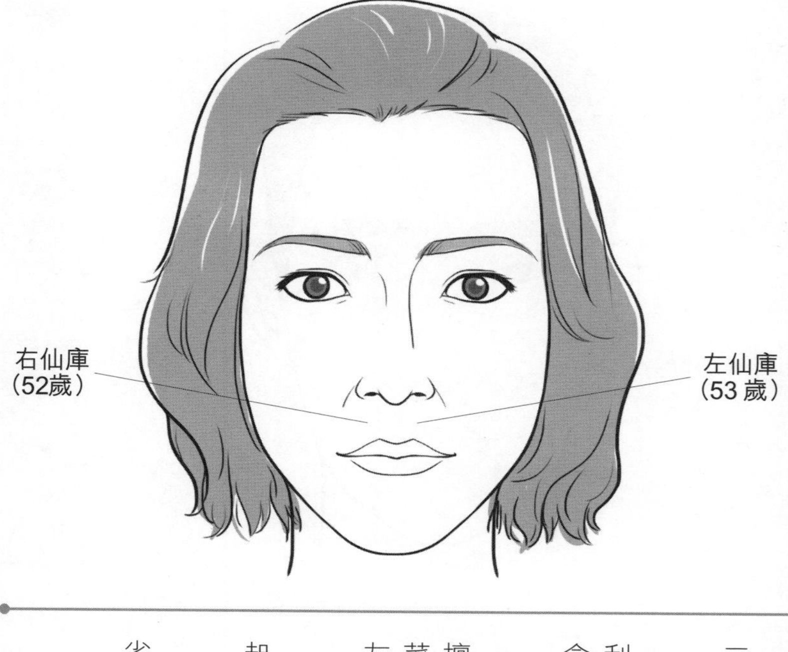

女性，五十二歲運行右仙庫，五十三歲行左仙庫。

如有漆黑光澤的美痣，象徵事業順利，食祿豐足。但痣色灰死，不單與美食無緣，更防食物中毒。

仙庫有美痣，無論男女都主有口福，擅烹飪，多喜歡親自下廚燒幾樣拿手好菜招呼親友，故能認識仙庫有美痣的朋友，保證你必有「食神」。

如女性有此癦者，則夫運特佳，因起碼不用自己煮飯，對嗎？

還有，此處是惡痣者，交際技巧拙劣，人緣極差，更防「男難」。

54歲至55歲

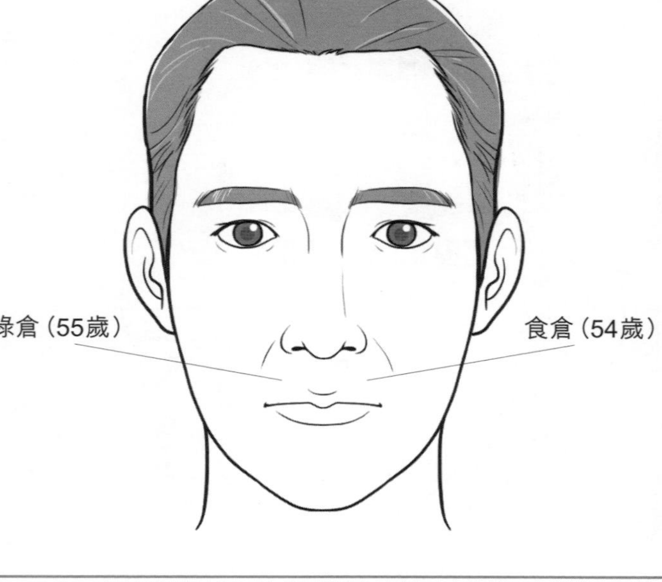

男性，五十四歲運行食倉，五十五歲行祿倉。

食倉是在左仙庫之左旁，左邊法令之內側；祿倉則在右仙庫之右旁，右邊法令之內側，即在左、右口丫角對上之位置。

此兩部位取名食倉、祿倉，是指人的衣食及福祿從此而入，因而名之。

行食、祿之運，如雙耳輪廓分明，耳有垂珠而朝口，眉帶彩氣，法令護送，雙目有神，則此年有財利。

但耳缺眉長，法令斷亂不明，此兩年則見耗敗。

女性，五十四歲運行祿倉，五十五歲行食倉。

食倉與祿倉最宜有肉、寬厚端正，以無紋破為佳。

食倉與祿倉同屬水星之範圍，最宜氣色明潤，忌蒙塵。

若現黃色，少年無妨，中年不利，老年主病。

現紅色，會與人爭吵。

色呈黑暗，宅內廁所瘀塞，馬桶爆裂。

56歲至57歲

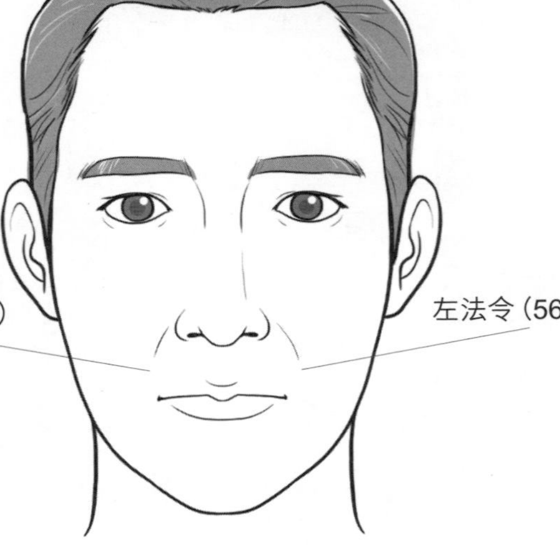

男性，五十六歲運行左法令，五十七歲行右法令。

法令，是從左、右鼻翼之外側，下垂至口唇邊之紋理，逼近食倉與祿倉。

法令紋，與人的年壽有關。「法令不過口，不過五十九」；「何知壽年八十二，法令低垂是」。所以法令紋生得長，垂至奴僕宮，是為壽帶。

法令紋又與人的名譽、地位有關，生得愈闊則交遊愈廣闊。如現青黑之色，則社交名譽、地位亦受損。

法令紋色暗，不宜賭博，必會損手。

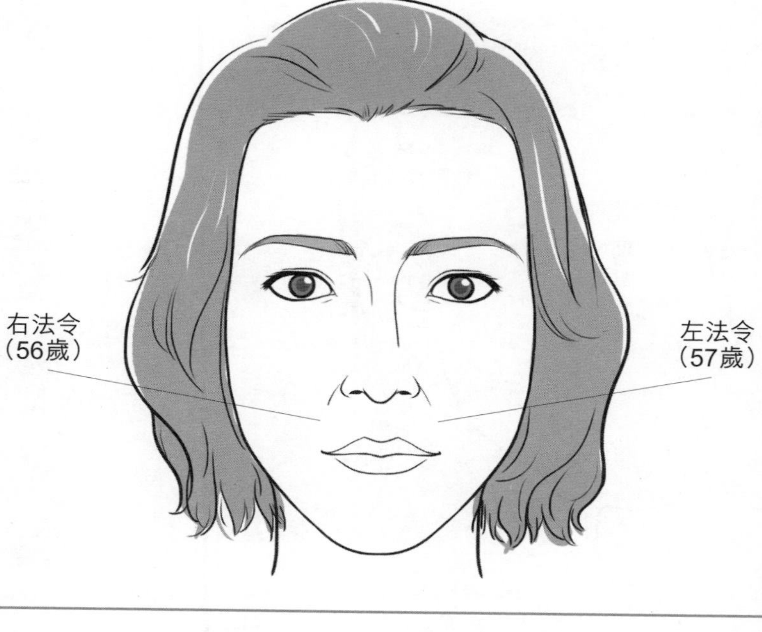

女性，五十六歲運行右法令，五十七歲行左法令，與男性剛剛相反。

女性之法令大忌深刻，是為「苦淚紋」，主刑夫，婚姻不美滿。

法令紋不宜過早出現，要在四十八歲後才出現為好，以過口部為合格。

兩條法令紋，代表有兩份職業，亦代表有兩個媽媽或兩個爸爸。

法令有纏，代表手腳會受傷。左法令有纏，右手或右腳會受傷；右法令有纏，左手或左腳會受傷。

法令斷開，會斷手腳，亦會有重親。

58歲至59歲

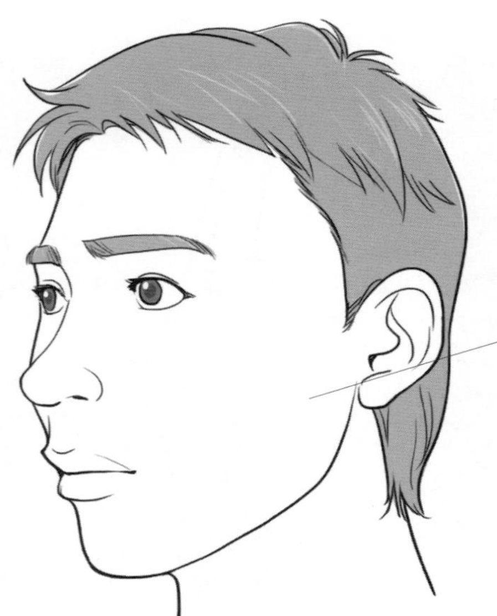

男性，五十八歲運行左虎耳，五十九歲行右虎耳。

虎耳又稱附耳，顧名思義，附耳的正確位置是在面頰近耳珠之旁邊，更準確的形容是當我們咬牙時會郁動的地方。讀者不妨試試看，定能找出它的位置。當你嘗試過「咬牙切齒」的滋味後，就會對虎耳的位置永記不忘了。

虎耳的氣色以見黃、白色為好。

在虎耳對上的位置，即在「耳的」的旁邊叫做命門，乃全身十二經絡所匯聚之地方。小童命門凹陷，不過十二歲。

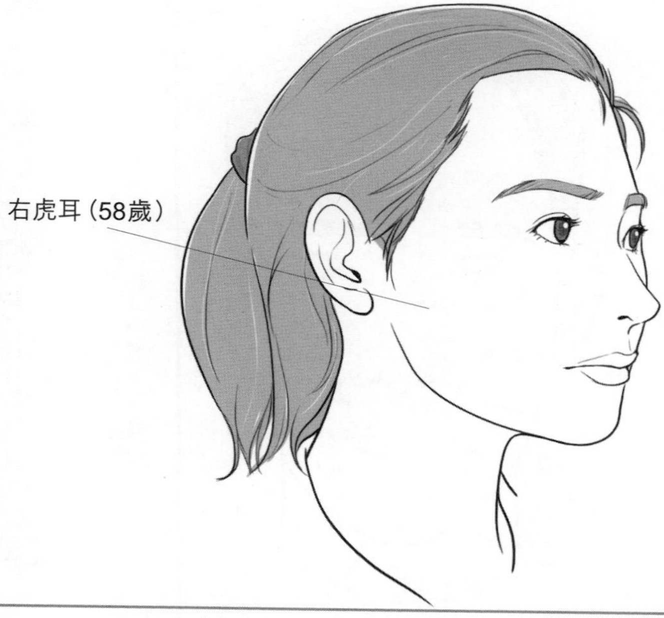

右虎耳（58歲）

女性，五十八歲運行右虎耳，五十九歲行左虎耳。

由於虎耳位居耳朵之旁，顴骨之後部，所以定流年吉凶休咎時，須當兼看顴骨及耳朵之形態及氣色，方能有準。

雙珠朝口、耳無崩缺、兩顴有勢、虎耳豐滿、氣色黃明，則五十八及五十九歲運程必順利，可以求財。

反之，雙耳有缺、輪飛廓反、兩顴崩瀉、虎耳凹陷、氣色暗滯，此兩年運程定見凶災破耗。

60歲

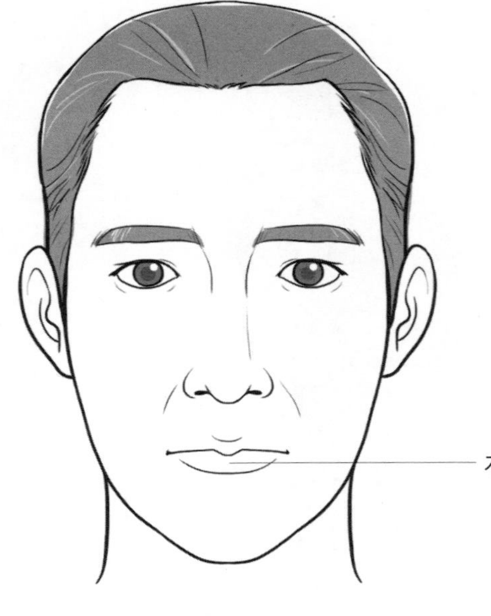

水星即是口，口為出納官。

口代表內心世界，開心會笑，發怒會扁嘴，各種各樣之表情皆可從口部的形態反映出來。

俗話有云：「病從口入，禍從口出」，所以我們說話前要經大腦想清楚，避免禍從口出。「一言可興邦，一言可喪邦」，不可不慎之。

口之大小標準，以居於兩眼珠中線之間為合度，過則為大，不及為小。

口宜開大合小，「口寬闊而大，食祿萬鍾」。

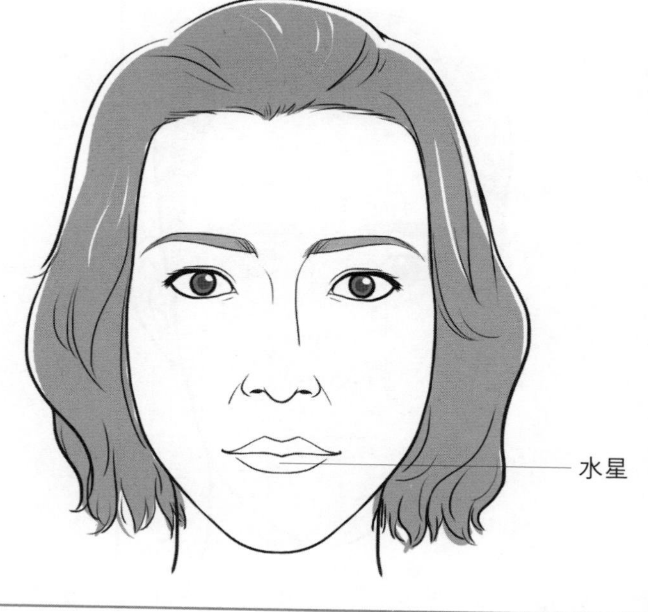

女性唇薄，婚姻多不利。

唇薄的人，用情不專、牙尖嘴利、説話刻薄、詞鋒鋭利，罵人不留情面。

唇厚的人，感情豐富、忠厚、重情義，説話留有餘地，替對方着想。

但所謂厚者，是以適度為宜，否則過於忠厚，便難以在社會上生存，「忠忠直直，終須乞食」也，信乎？

況且，唇過厚之人，性慾太強，易終日沉迷於房事而已。

總之，口唇厚薄宜適度，口形端正、口角向上、唇邊起棱、唇紅齒白，就是合格。

61歲

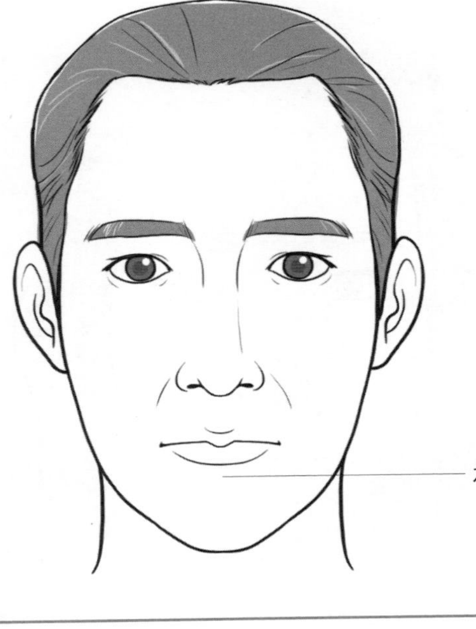

承漿，是在下唇中間凹進去的地方，好像將下唇托起一樣，故名承漿。

「何知末年敗郎當，看他決定無承漿」。在古人而言，運行至承漿，已是晚年之運，故此有此訣之出現，但在現今社會，人之平均壽命已到七十至八十歲，故此承漿只是晚年運的開端而已。

如法令紋困口，破承漿之位，則是「落筆打三更」，主一踏進晚年，便行衰運，是年必見災害。

承漿主飲食，承漿肉厚，無紋破，能享豐衣足食。

承漿生得好，亦主官祿。

此部位之氣色宜白潤或紅潤，忌見青色或黃色。

若少年見承漿有黑氣，主有水險，再見黑痣，更恐因醉酒而身亡。

62歲至63歲

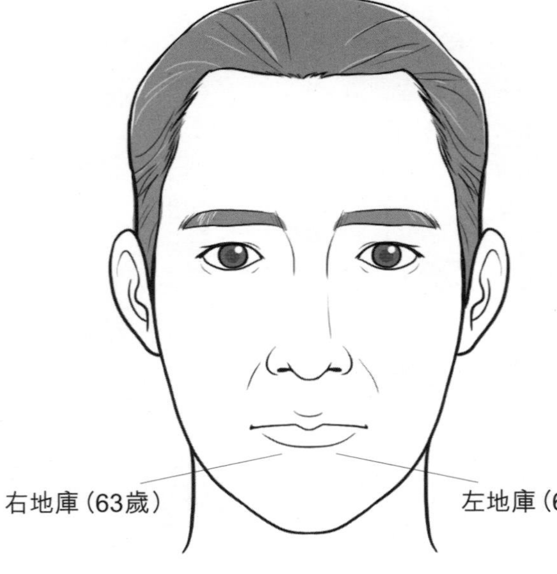

男性，六十二歲運行左地庫，六十三歲行右地庫。

地庫之位置，是在承漿之左右兩旁，微微隆起，所以稱為庫，因又接近地閣，故合稱地庫。

地庫以圓滿豐盈為合格。

地庫之氣色，不拘老少，以白潤為吉，黑暗為災。

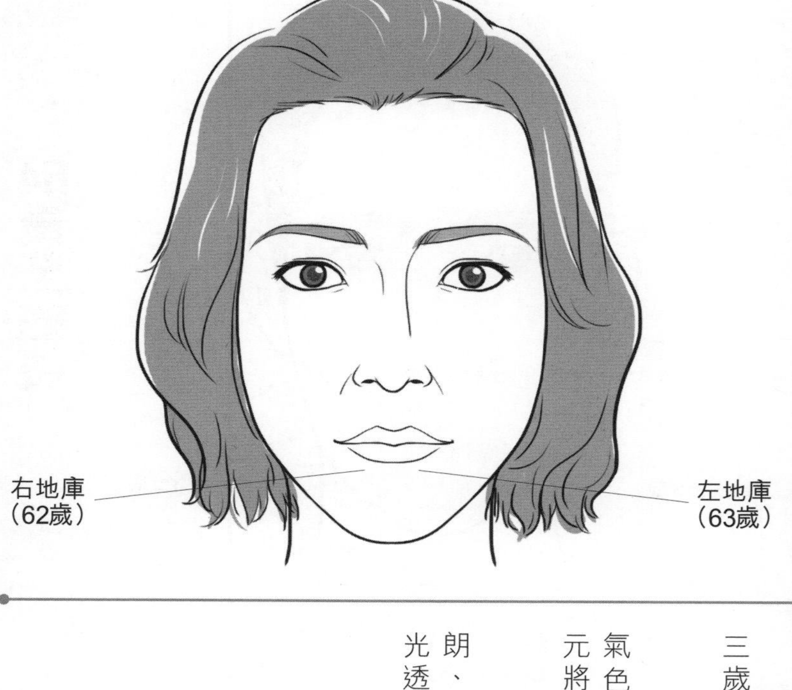

女性，六十二歲運行右地庫，六十三歲行左地庫。

若地庫凹陷不起、法令紋破、兩耳氣色枯暗、印堂黑色、雙目神脱，是壽元將盡之兆。

但如圓潤有肉、微微脹滿、神足聲朗、耳色明澤、雙目炯炯有神、印堂黃光透現，此年必屬佳運無疑。

64歲至65歲

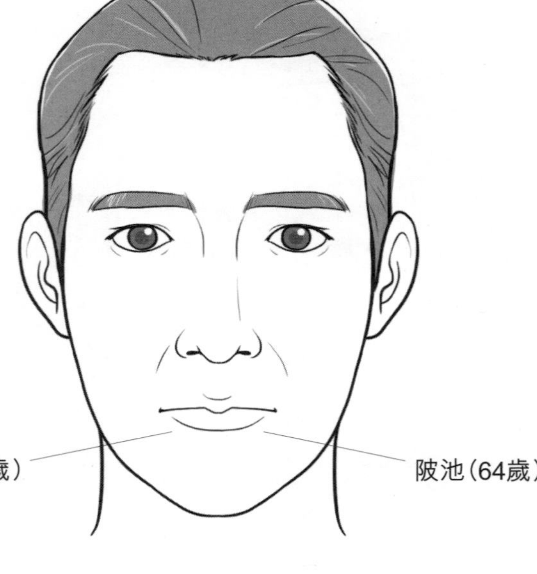

男性，六十四歲運行陂池，六十五歲行鵝鴨。

陂池是在左地庫的左旁，左金縷之內側，即近左口丫角對下的地方。

鵝鴨是在右地庫的右旁，右金縷的內側，在右邊口丫角對下之地方。

此兩處地方，似凹似凸，如池中有鵝鴨浮起，所以命名為陂池及鵝鴨。

由於陂池及鵝鴨都極接近口丫角，故口丫角向下者必破此流年部位，是年必有破財之災。

女性，六十四歲運行鵝鴨，六十五歲行陂池。

此兩部位總宜肥厚豐，以沒有紋破或惡痣為吉。

枯薄而有缺陷，雙目無神，流年必定諸多阻滯。

由於此兩部位接近水星、法令、口角，故宜數部同參，以定吉凶。

氣色以白潤如珠玉，有光彩為吉；白如枯骨者為凶。

66歲至67歲

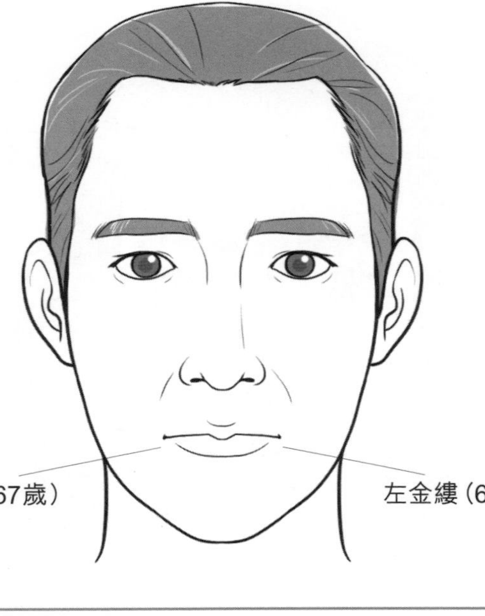

男性，六十六歲運行左金縷，六十七歲行右金縷。

金縷是在法令的下部、嘴角之外側，從口丫角隱隱浮現的暗紋。

縷者，細長的線；金者，寶物也。金縷，就是很寶貴的紋。

「勸君莫惜金縷衣，勸君惜取少年時」，是古代文人雅士勸人莫貪圖富貴，應要做有抱負理想之事。但在相學上，金縷是寶物，最宜出現，不宜說清高而不要，無者不吉。

金者白色也，故金縷之氣色以白潤如珠玉為吉，不忌白色。

女性，六十六歲運行右金縷，六十七歲行左金縷。

金縷清秀者吉，粗而曲者凶。此紋既主官職之升降，又可察年壽之長短。

如準頭氣色明潤，眉毛有光彩，或生長毫毛，該年運程必佳，亦能增壽。

金縷，其位屬水，氣色白潤如玉則吉，白如枯骨則凶。

《水鏡集》云：「法令現在金縷，隱隱下獨金山」，是形容法令紋深長，隱隱下遊的成就，表示獨當一面的意思。

但金縷並不是每人都有，有者名氣必大，事業也容易成功。

68歲至69歲

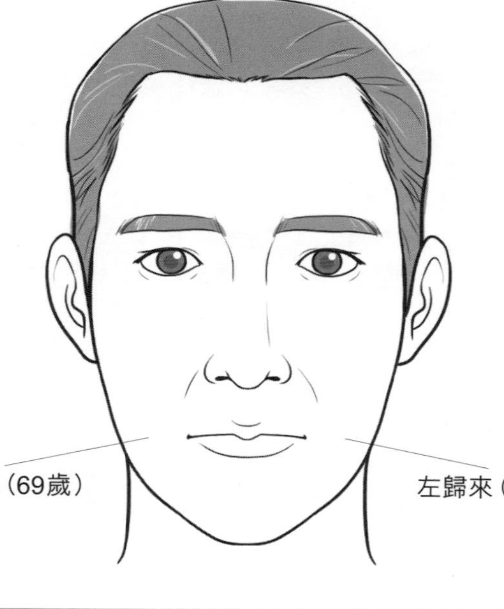

男性，六十八歲運行左歸來，六十九歲行右歸來。

歸來正確的位置，是在我們俗稱酒窩的地方。

「梨渦淺笑」，就是將歸來的位置破了，你認為是好或是不好呢？

歸來即回來之意思，用以觀察在遠方的人歸來與否及其吉凶。

如色黃潤則行人很快歸來，最快則在戊、己天干之日子或月份。

氣色青黑則無歸來之望，且恐有意外之災。

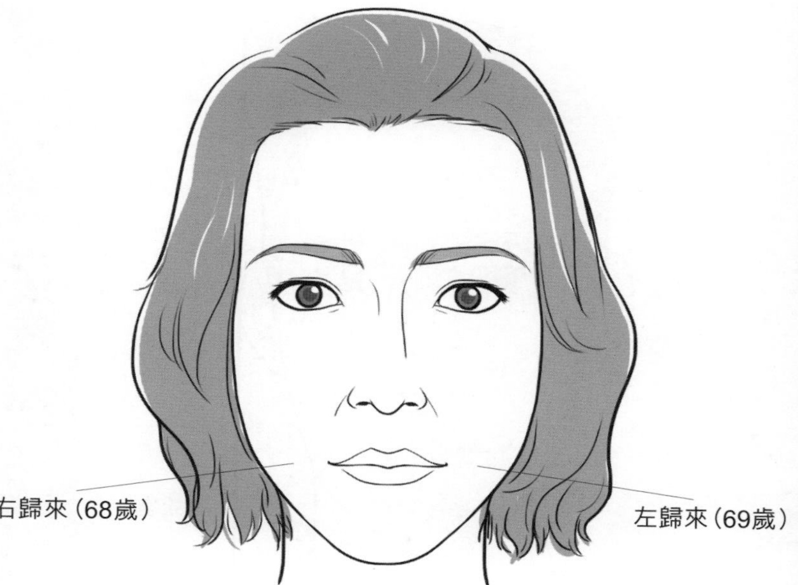

女性，六十八歲運行右歸來，六十九歲行左歸來。

此部位宜脹滿而忌凹陷，用以觀察行人歸來之消息。至於在沙田望夫成石那位女士的面頰，相信必定有酒窩的了。

此部位豐滿光潤者主財利，有缺陷則老困。

若印堂黃潤透光、口正唇紅、鼻正有氣，壽年大增。

70歲

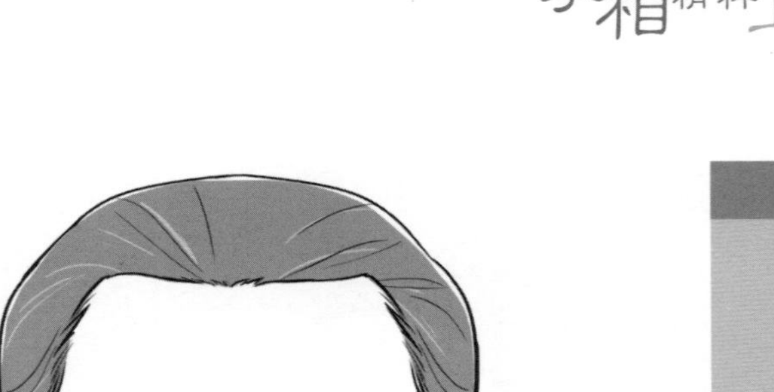

訟堂，位於承漿之下、地閣之上。因嘴部郁動的時候，此部位亦同時郁動，仿如彼此爭訟不息，所以稱為訟堂。

運至晚年，最要重視此部位之色澤，更宜合參眼神、聲音。

如精神飽滿、聲如洪鐘、訟堂色澤明潤皎潔，就會年壽滔滔，老運不錯。

若鬢枯如骨、眉毛疏落、神情呆滯、身形傾側、訟堂枯黑，可卜年壽不永。

女性，七十歲運行訟堂。

此部位最宜有肉峰，富裕可知，如缺陷則屬敗運。

訟堂為十三氣勢部位之一，氣色宜白潤，若紅色為大吉。

但如現紅絲亂紋，則晚年寂寞。

71歲

地閣位在訟堂之下，是人體面相最下部的地方。

地閣是面相之基，形方則貴，形厚則富。

地閣宜朝、宜兜，所謂「下巴兜兜，晚境無憂」。

如果是南方人，而下巴生得靚，晚境定是不錯。

地閣豐隆，晚年有子女承歡膝下，兒女孝順，身心舒暢。

下巴有暗坑之紋如分裂地閣者，雖有藝術細胞，但七十一歲難免有破敗。

「冬來地閣白光浮」，地閣不忌白色，但大忌枯色，如黑色為壽元已盡。

運行至此，地闊肉厚、口唇紅潤、目光有神、齒不落者，可享長壽。

地閣尖削又晦滯，難免老窮，身體亦多病痛。

女性下巴最好是圓形，方形下巴就會到老亦要工作。

四方下巴的人比較固執。

72歲至73歲

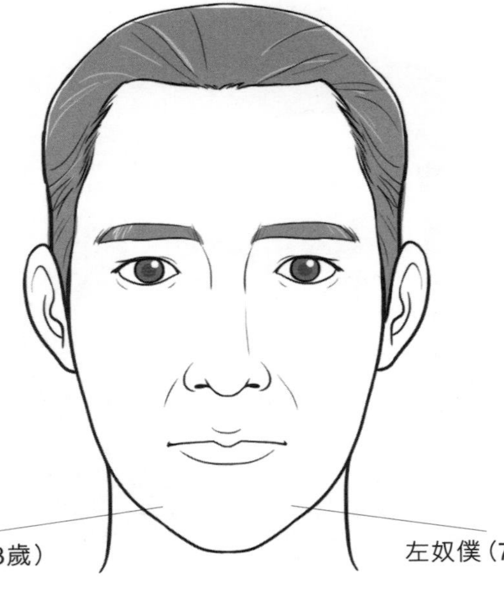

男性，七十二歲運行左奴僕，七十三歲行右奴僕。

奴僕之位置是在地閣之左右兩旁、腮骨之前面。

奴僕者，顧名思義，對老板而言是僱員，對上司而言是下屬，對長輩而言是晚輩，對老師而言是學生。

此地方以骨不露，地閣圓朝為好，可得忠誠之奴僕為用，不會扭計，晚運亦佳。

奴僕亦與肛門疾病有關，如氣色紅赤乾燥，主有肛門便血之疾。

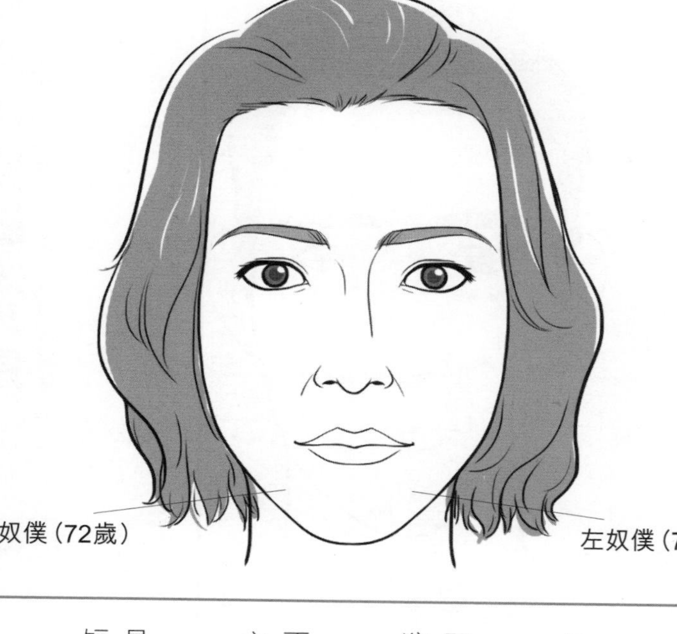

女性，七十二歲運行右奴僕，七十三歲行左奴僕。

看奴僕之流年必要兼看地閣、腮骨及水星。

如奴僕尖削傾陷，是「用人不力」，即俗話所謂使唔郁人也，而下屬又多奸狡之輩。

此部位見青色，主奴僕下人，不忠不勤，不可用也。但如見黑黯枯色，則主奴僕橫禍凶死或拐騙私逃。

下巴長，員工聽話；下巴短，反被員工點。如食指長，可使喚員工；食指短，被員工指點使喚。

74歲至75歲

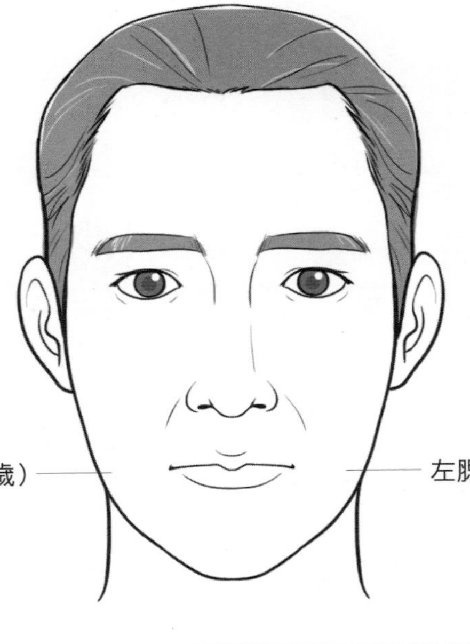

腮骨之位置，是在面頰旁突骨之處，差不多與口部成水平線。

腮骨是在人之側面近耳最邊下之地方，是輔助地閣之處，以不尖不歪、不粗不大為美。

古人謂腦後見腮，主其人心術不正，為將必叛，作為現代行政管理人員，不妨作為參考。

患有梅毒或性病之人，會腮骨先陷，鼻樑後斷，不可不知。

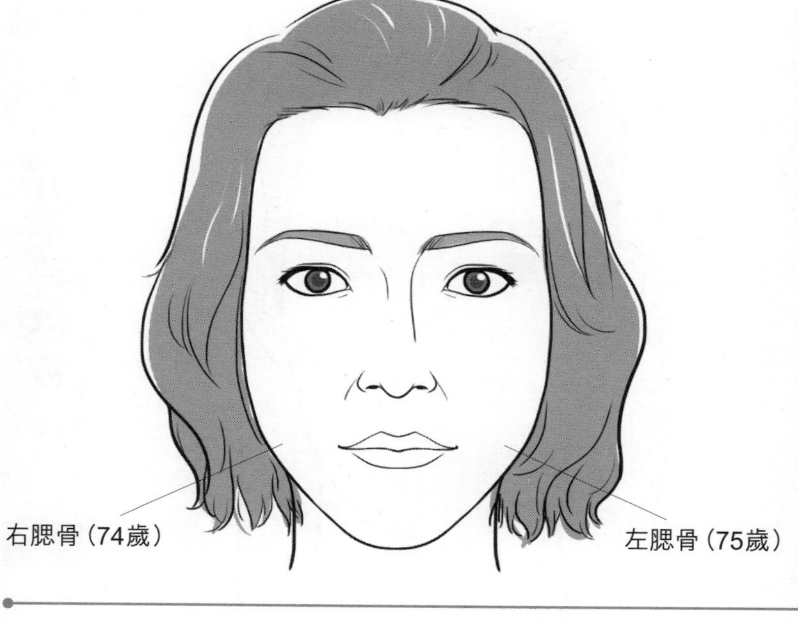

運行至腮骨，最重要是腮骨不露，地閣朝而圓渾，精光內斂於眼部，口形端正，唇色紅潤，則該年運程就好。

如生壽斑，則更會長壽。

此處氣色最宜明潤照人，運程康泰，黑色而枯者主凶死。

76歲至99歲

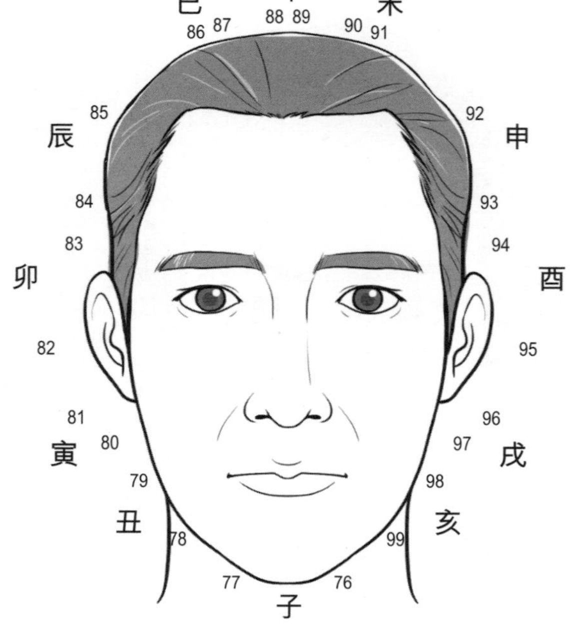

運行至七十六歲以後，到九十九歲為止，行運部位全都是在面相之邊緣而走。男性是沿十二地支順時針方向行。

由於運至耆英之年，故首重神態與氣色，次與部位合參。

神者包括眼神、說話聲量及清晰程度、行路之神態等等。

氣色宜紅黃明潤，忌青黑暗晦。

部位宜豐正平滿，忌青黑暗晦。

毛髮與髭鬚宜光潤有澤，忌如枯草。

綜合而論斷，則吉凶立見。

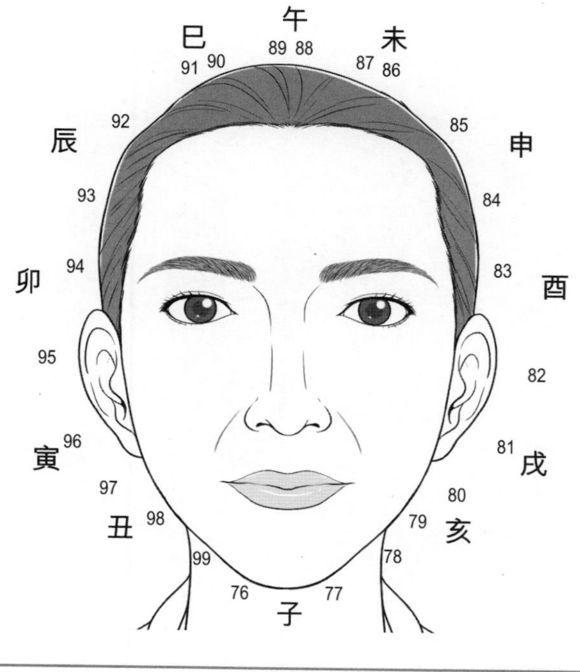

女性，七十六歲及七十七歲行之流年亦是行子位。「子」是在地閣之下，面部輪廓最下邊之地方。

其他流年則逆時針而行，直至九十九歲為止。

100歲

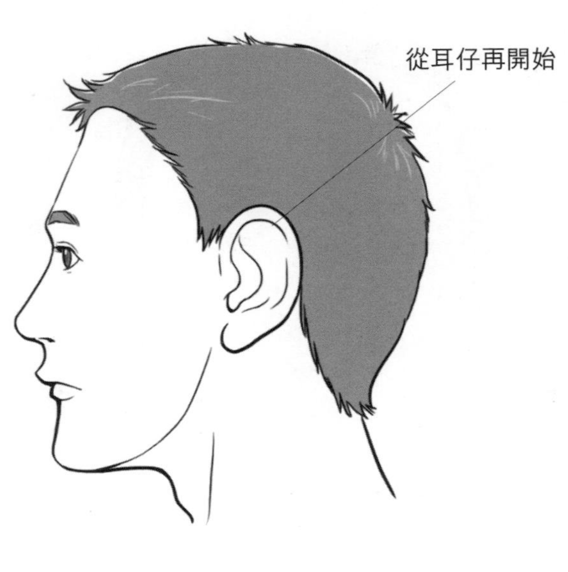

古語有云：「人生七十古來稀」，現到一百歲仍然健在，可算是老而彌堅，耆老之壽，值得恭喜。

春去秋來，周而復始，由一百歲開始，再從頭來過，由耳仔再行起。

老人面相最重要看神態、聲音及頭髮、鬍鬚的色澤；另外，要看有沒有壽斑、壽毫、項條及液漕等壽徵。

十二宮篇

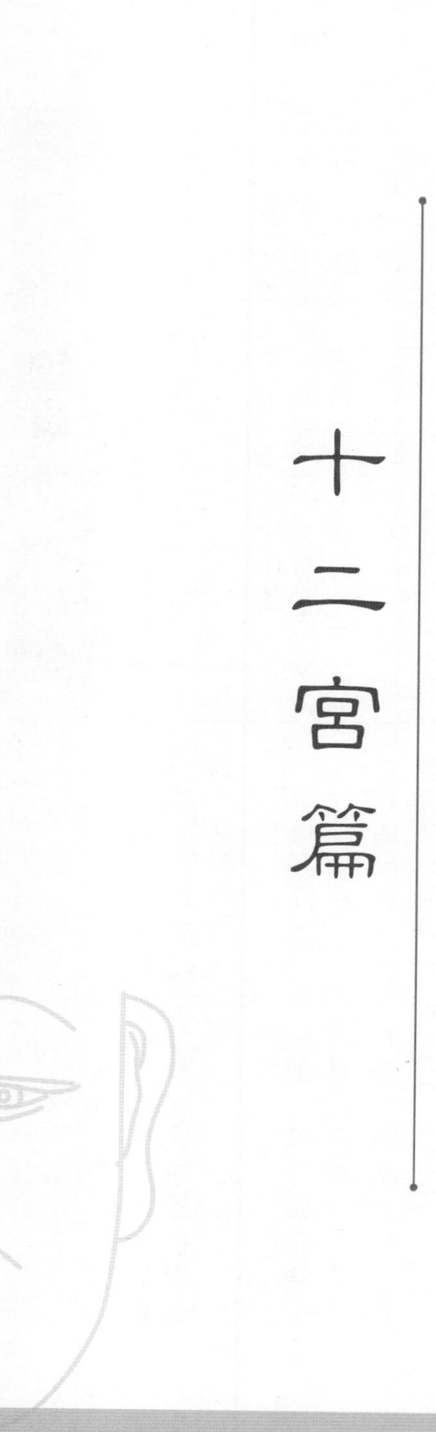

總論

學懂了流年部位之後，接着就是要知道「十二宮的位置」。

面相十二宮就是：夫妻宮、命宮、子女宮、田宅宮、奴僕宮、疾厄宮、父母宮、財帛宮、兄弟宮、遷移宮、官祿宮、福德宮。

為什麼要認識「十二宮」呢？因為當客人問我他的姻緣怎樣、財運如何、兄弟感情好不好、子女聽不聽話、下屬是否有助力等，便要知道各種人際關係在面相所屬的部位，才能夠有所回答。

在十二宮位置中，夫妻宮的位置最特別，男女是不同的，其他宮位則完全一樣。女性以鼻為夫星，男性則鼻為財星，而男性的妻宮位是在奸門。在我們了解十二宮所賦予人際關係的意義後，就可以開始為人看相。

但要謹記一個原則，人是個整體，是要互相配合，不可單獨拆開一個個宮位來看，為了方便解説，才獨立分拆開來解説而已。

十二宮之部位互有關連，不可執一而論。例如子女宮看淚堂，宜豐盈有光澤、無亂紋斑痣，但還要再察人中是否深長，則子嗣必然多而且貴。

如看財帛宮，鼻固然要豐隆有肉、明淨光潤，但天倉、地庫及兩顴氣勢亦不能有虧，方足以言財富。

論疾厄，則看山根與年上、壽上，此部位宜骨起不露、色澤明潤，但要兼看雙目是否炯炯有神，如是則健康長壽，無可置疑了。

看面部五官之高低大小，必要是自己與自己比較，不要與別人比較。

將成龍的鼻放在新馬師曾的面上，這個鼻子自然是過大，但在成龍本身而言，就叫做合襯。所以大或小的標準，是以自己面部的大小來作衡量，將成龍的鼻子放在新馬師曾的面上就變成「孤峰獨聳」，是一個失敗的配合，但在成龍的面上就發揮了極佳之效果，鼻為財星，變成財源不斷。

耳仔在新馬師曾的面形上是為高，所謂「何知富貴名聲譽，耳生貼肉皆相濟」，所以名聲遠播及得享高壽，但如果放在一個面大的人而言，可能就屬耳低。

所以，請謹記大小高低不是用尺寸來釐訂，而是用自己面部大小來作衡量之標準。

夫妻宮（男）

男性以奸門為妻宮。奸門者，是在眼尾對出之處，所謂「魚尾紋」出現的地方。

此處宜光潤無紋，有肉飽滿，所謂「奸門脹，福好妻」；奸門深陷，常作新郎。

魚尾紋向上，為人風流；魚尾紋向下，就會離婚。女性有魚尾紋，是剋夫，無論向上或向下都是惡妻。

此處氣色宜黃明，主夫妻感情和諧。若奸門昏暗，夫妻生離。

奸門青色主配偶多病。赤色，夫妻口舌，或配偶有血光之災。

夫妻宮（女）

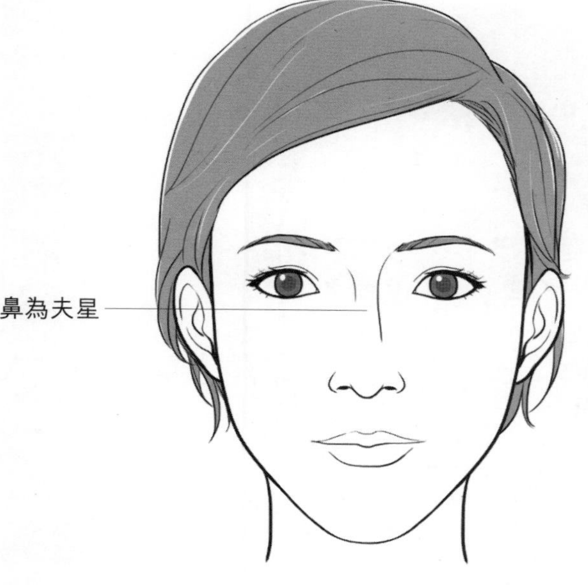

女性以鼻為夫星。

所以問將來老公是如何，不用問人，只要照鏡望望自己的鼻子就有答案，因為丈夫已睡在你的鼻上。

鼻宜直，豐隆有肉，與顴相襯，可以做「事頭婆」；如無顴襯托，就做不到「事頭婆」。過高，則是「孤峰獨聳」；過小，變成顴大鼻小，則是妻奪夫權，多為二奶之命。女性旺夫，要鼻頭有肉，話唔話到事，就要看個顴。

鼻直，夫為專業人士、師字級人馬，例如醫師、律師、會計師，且多是身材肥胖。鼻扁，夫從事「偏門」，收入不穩定。

命宮

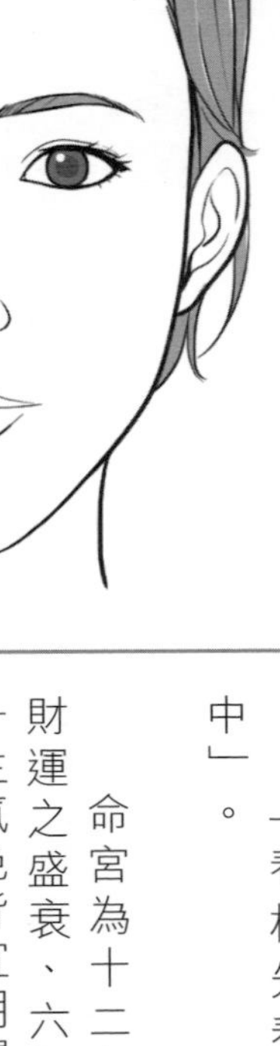

命宮就是用來看「自身」的地方。

「看相先看命宮，命宮生在兩眉中」。

命宮為十二宮之首，主一生官祿、財運之盛衰、六親及身心是否舒泰，故一生氣色皆宜明潤，忌暗滯。

明者，象徵生命光輝燦爛，主其人命運亨通，六親安康。

暗者，象徵生命蒙上陰影，主其人運蹇，六親不和。

印堂最重要平滿無缺，如凹陷破缺，會蹇滯一生。

子女宮

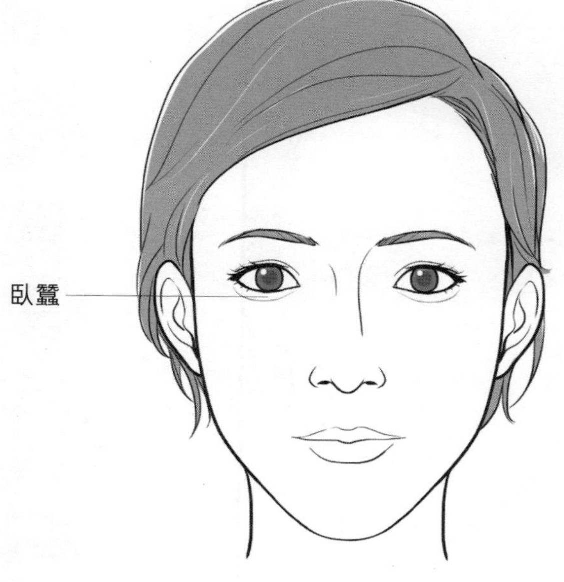

子女宮即在眼下臥蠶之位。此位置需要豐厚，不宜空陷。紅潤而平滿，兒孫福祿榮華。

如位置深陷，則子女無緣。如現黑痣、斜紋，沒有兒女送終。

子女宮要黃明紅潤，主子女身心兩健康。黑眼圈是滯氣，一衰就衰十年。女性懷孕時，色澤黃明，多是男嬰，如是淡淡的青色，則是女嬰。

其實看子女之運，亦要兼看人中，人中又名子庭也。

人中深長如破竹者，子多而壽。人中歪斜，子女不孝。

眼蓋

田宅宮

田宅宮位於上眼蓋，即女士們塗眼蓋膏的地方，左、右眼各一，用以看居所及家宅人口。

此地方的闊窄以放進一隻手指為合格，過之為闊，不及為窄。

田宅位高，住大屋，所住的大廈樓層亦較高，是「高層人士」。

田宅位低，住細屋，所住的多為低層單位。

田宅位有瘻，家居犯火險、水險。

此部位氣色宜黃明，白色主丁憂。

奴僕宮

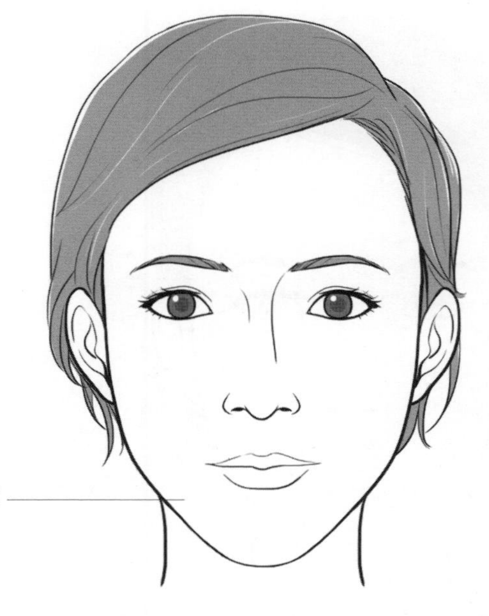

奴僕宮位於地閣兩旁之位置，古稱懸壁，主晚年及與晚輩、部屬關係之好壞，下屬得力與否就是看這個位置。

額圓頤豐，侍者成群。

倉庫偏斜，施恩反怨。

地閣枯陷，僚屬無緣。

此處宜黃明紅潤，則與下屬、工人、晚輩關係和睦，增聘僱員。赤色則與下屬口角吵架。

黯黑則家中菲傭患重病。

青色則防下屬有「穿櫃桶底」之事及僱員流失。

疾厄宮

山根、年上、壽上是疾厄宮所在，用以看自己及六親之健康災病。

山根豐滿無病，深陷多災。

年上、壽上光明潔淨、沒有紋者，身心康泰；昏暗及削如劍脊者，疾病纏身。

氣色宜紫紅黃明、白潤，主自己及六親身體健康；赤色主自己血光之災；青色主驚憂；枯白主配偶、兄弟有病災。

如果山根之色暗而運至年上、壽上，主家中有久病之人。

父母宮

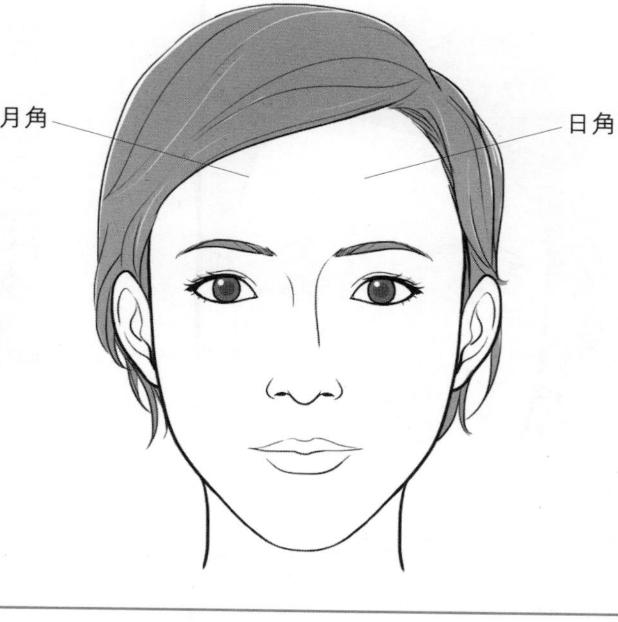

父母宮者，即日、月角也，用以看父母之健康否泰。

如此處高圓明淨，則父母長壽康泰；「額角巉巉父早喪」，如低陷則幼失父母。

左角偏者妨父，右角偏則妨母，或同父異母，或隨母改嫁。

氣色宜黃明紅潤，父母健康吉慶。

青色主父母有憂驚、口舌爭鬥。

黑色主父母災病，或死亡。

白色則有孝服。

財帛宮

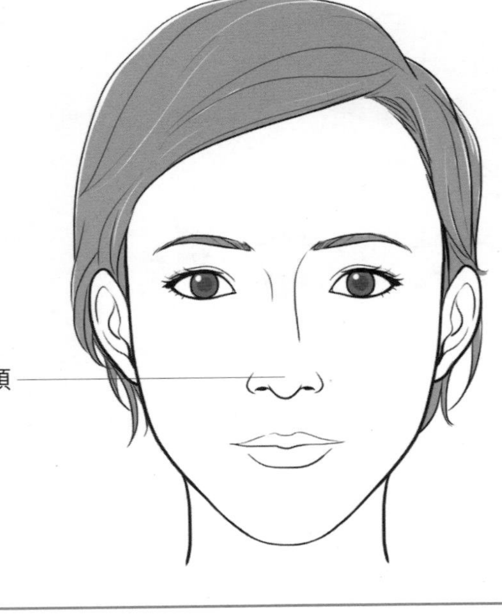

準頭、鼻翼為財帛宮，主錢財及事業之順逆。

準頭、鼻翼總宜豐滿明潤、圓厚有肉，此為財星得地，必主大富。

鼻如彎、鈎、尖、薄、側、反或起節，為財星失地，貧而貪財。

前面不見鼻孔的人，多是孤寒的人；鼻頭圓厚而不見孔者，更是「孤寒財主」。鼻孔微露的人，則是疏爽之人。

財帛宮宜黃明白光，主財旺、事業興隆。赤、黑、枯白，均主破財敗業。

兄弟宮

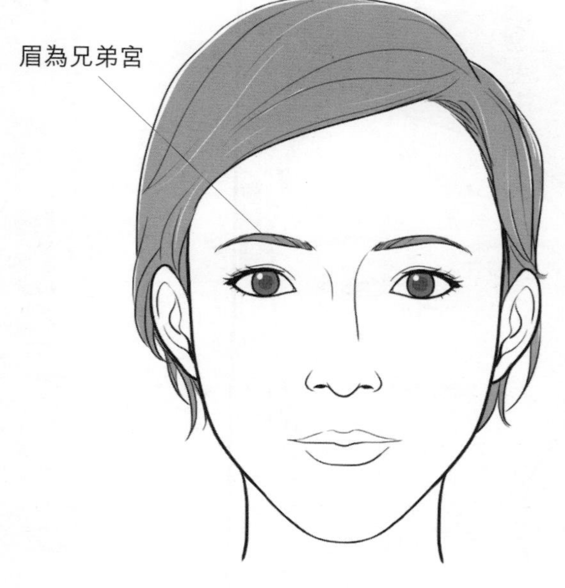

眉毛就是兄弟宮，左為羅喉，右為計都，主兄弟間之感情、助力及健康。

眉秀而清，兄弟必有發貴。

如氣色明潤光潔，兄弟相處和睦；現赤色，則兄弟不和；白色有孝服；黑色主兄弟刑剋，兄弟有橫禍。

「眉粗折斷兄弟喪」，眉毛雜亂，刑剋兄弟。毛逆生，兄仇弟隙。

眉長過目，兄弟四五六，不然就必是孤獨。

遷移宮

遷移宮即驛馬位也，即左、右邊城及左、右山林近額邊髮際的地方，用以看出門、搬遷、環境變遷之順逆情況。

遷移宮氣色黃明紅潤，主出門遇貴人，見財喜。

如果是出門洽談商務，則有收穫。如求職、考試見此色，亦是順利。旅行見之，則旅途愉快。

此宮位見赤色而出門，主惹官非。見白色，主交通事故。見黑色，大凶，主道路身亡。

官祿宮

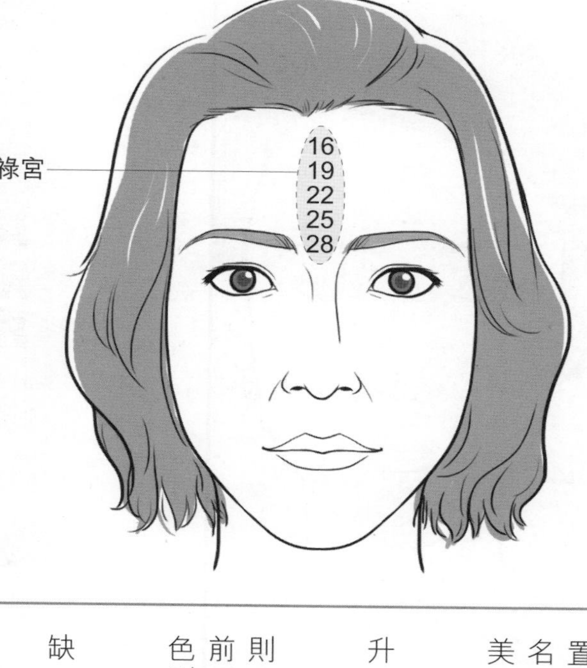

由天中至印堂等五個額部正中的位置，都是屬於官祿宮，用以看一生之功名與事業之順逆，所以如這幾個部位完美無缺，就少年得志，平步青雲。

官祿宮宜現紫、紅、黃潤之色，主升職加薪，官訟勝訴。

此宮位見青色，主憂驚，如涉官司則敗訴。赤色主牢獄之災，如犯事上庭前看此部位之氣色，便可心中有數。黑色則被解僱炒魷、降職、破財、敗業。

欲當政務官者，此部位必須豐滿無缺。

福德宮

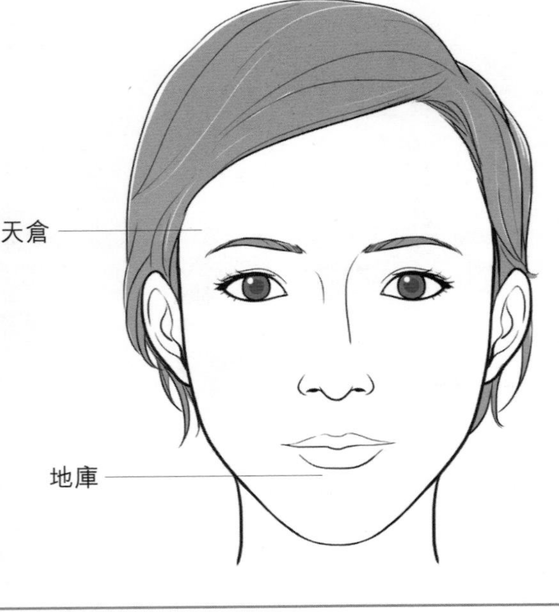

福德宮，位居天倉及地庫。

天倉者，山林之別稱。眉尾之旁為邱陵及塚墓，在其上部者就是天倉。常謂「眉拂天倉」，眉毛上揚斜斜插入之地方是也。

地庫者，流年六十二歲及六十三歲所行之部位，在承漿之左右兩旁也。

此兩個部位用以看身心之憂喜及境遇之順逆。

岳凌清明，必有功德。精神爽利，夙種善因。如曾做大功德之事，眼肚下會出現方格狀之「陰騭紋」或氣色。

五官篇

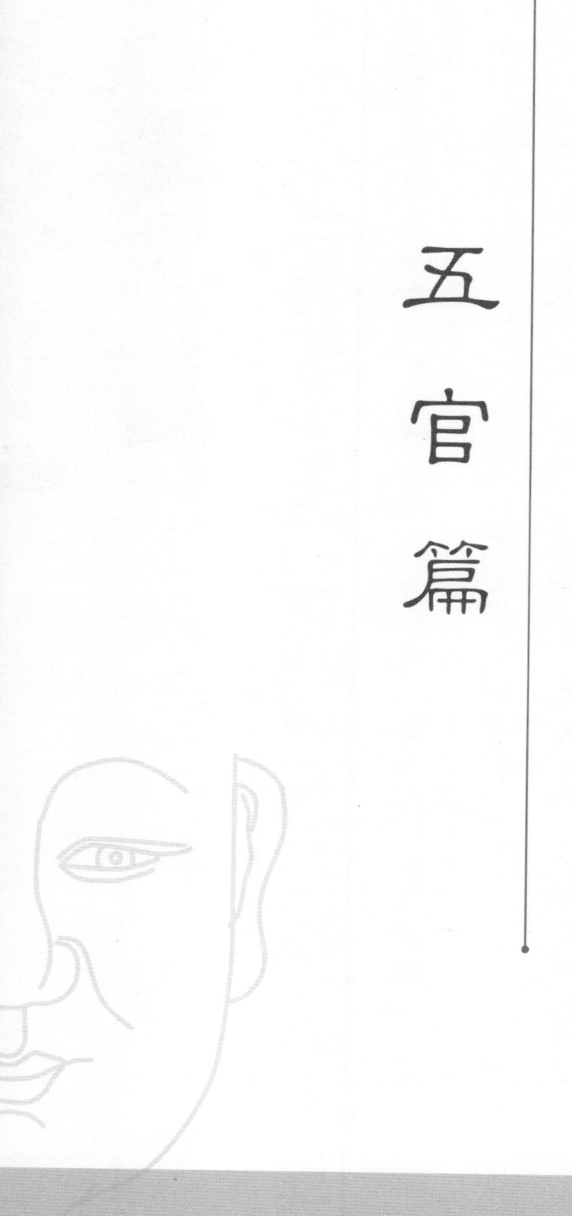

總論

五官，就是耳、眉、眼、鼻、口。當然，除了五官外，我們還需要知道額、印堂、山根、顴、人中及法令等部位。

首先，我們要知道看面相要從整體去看，要感覺五官組合在一起後給你的感受，是否舒服、是否順眼。

我們看相時，不能單獨去看某一個五官，必須配合其他部位，否則必不準確。

五官就好比拼圖，要拼起整張圖來看，如只看一部分，難免會如瞎子摸象、以偏蓋全而已。

就以我本人為例，口形太小，會過不到二十五歲，但幸好耳有垂珠，雙珠朝口護水星，所以口小亦有救。如果只是用一個部位去定吉凶，便會謬之千里。

眉為性，目為心，田宅宮位窄，便形成眉壓目，但眼深不忌眉壓目，可以將眉壓目的壞處化解。

眉短難望兄弟幫，但眼圓不忌眉短促。眼形生得圓，又會將眉短促的弊病化解。

看鼻，我們就要將顴、鼻配合一齊看。

鼻高顴瀉，功高蓋主，打工只會勞而無功。

鼻骨犯眉骨，死於三十歲。

顴又要與眉齊觀，顴眉相爭，則女性生產時要動手術。

顴大鼻小，女性是二奶之命。

眉與髮又要一同觀看，如髮粗、鬢粗，則不忌眉粗。

眉與人中又有關係，人中鬢寒，不忌眉疏散。

法令與口之關係又非常密切。法令不過口，不過五十九。法令入口，稱之騰蛇入口，主喉嚨有問題。

法令長至下巴，又與年壽有關。「何知壽年七十二，法令低垂是」。

法令又與鼻翼有關，「何知人生不聚財，但看法令破蘭台」。

所以，看相就是一個「加減法」，流年部位好，還要看其他相關的部位配合之後，有沒有加分或者減分，方能作準。

還有，看相除了看部位形態、氣色之外，最重要是看神氣，尤其是老人家，「何知壽年九十六，天庭高聳精神足」。如果只是額高，但神露散渙，絕不是高壽之相。

掌相精粹

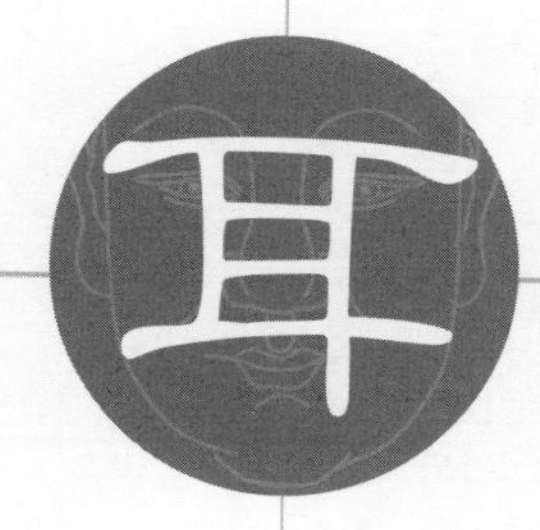

總論

男性一至七歲，看左耳；八至十四歲，看右耳。

女性一至七歲，看右耳；八至十四歲，看左耳。

嬰兒及童年，主耳運。

看耳最重要看有否前後高低、輪飛廓反、崩缺、朝口、有無紋、有無瘻。

耳是不隨意肌，不會有表情去騙人，所以最易看吉凶。

耳為採聽官，耳通腎臟。

印堂黑、鼻黑、耳也黑，壽元盡。

耳朵應以輪廓分明，有垂珠者為好。

耳朵位置高，勝過位置低。

耳朵貼肉最好。

耳朵宜有肉而厚為好。

輪飛廓反則不佳，好勝心強。

風門生得窄，男性就有女性傾向；風門闊大，就像脱韁野馬。

耳要有輪有廓，要輪廓分明，忌輪飛廓反，主童年運程較差，例如健康不好、學業成績欠佳。

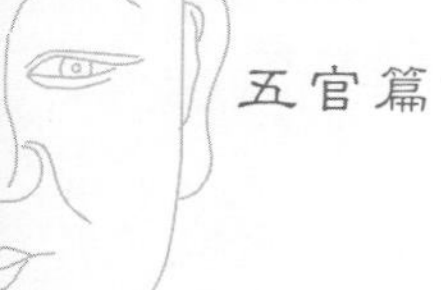

耳生得差，亦主童年生活條件不好，間接反映父母運程欠佳。

如果小孩耳形生得不好，如耳輪邊崩、缺、歪斜、輪飛廓反，則要契神或契一些命硬之人。

所以，我們收養孩子或收乾兒子、乾女兒的時候，便應注意小童耳朵的形態，免致「寃災枉也」。

在此，奉勸一些喜歡「逢人都契」的人，要量力而為。

耳的高低以齊眼尾為標準，高過眼尾者為高，低過眼尾者為低。

如耳高齊眉者，則能「揚名聲，顯父母」，在社會上享有聲望，留意新馬師曾、羅文的耳朵便知答案。「何知富

貴名聲譽，耳生貼肉皆相濟」。

耳白過面，主有名氣。

耳有垂珠，為人孝義，父母多有宗教信仰。

雙耳兜風，敗家祖宗。

耳硬，個性硬。

耳軟，心軟，個性軟弱。

耳朵邊闊的人，家庭責任心重，窄則不顧家。

風門闊

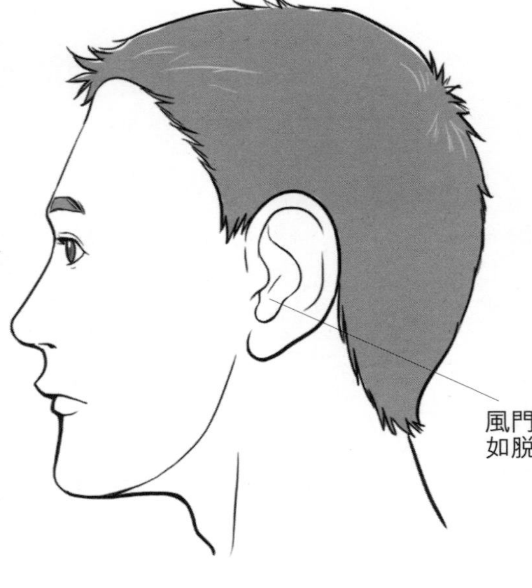

風門闊之人，精力旺盛，性格剛強，放縱驕逸，如脱韁野馬，不喜約束。

故此女性如果風門闊大，如家長不善照顧教導，就很容易誤入歧途。

男性如果風門闊大，再加上耳廓反出，應對他們作出適當之輔導。

風門闊的人經適當之教導，會大器晚成，亦適宜遲婚，早婚早散。

風門窄

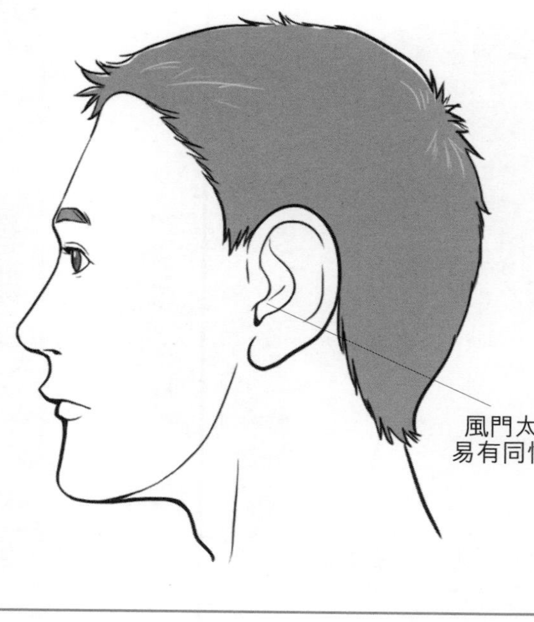

風門窄的人易教、聽話，所以如果兒女風門窄，管教不用太操心。

過猶不及，如男性風門太窄，則太過黏家，不上街，即俗謂「裙腳仔」。所以男性風門以闊窄適度為好。

同性戀的人，易有風門窄的現象。

風門窄之人，神經過敏，醉心夢幻，較不切實際。

對愛情抱崇尚純潔之精神主義，鄙視沉溺肉慾之享樂作風。

雞嘴耳

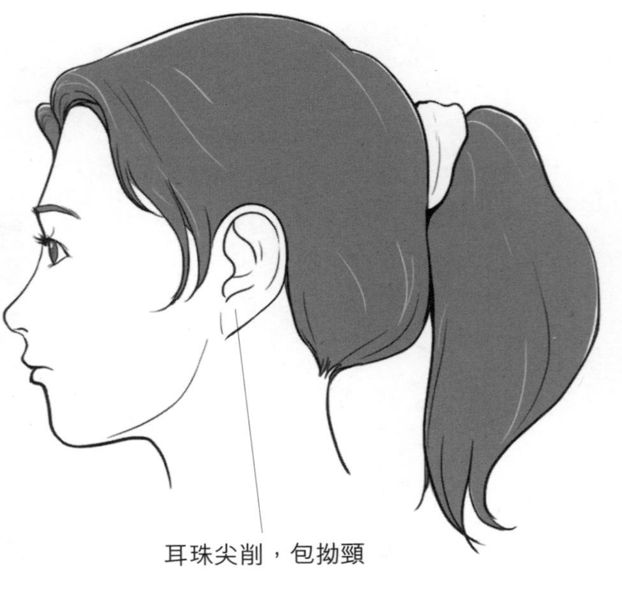

耳珠尖削，包拗頸

雞嘴耳是指耳珠尖削向下如雞嘴形狀的耳朵。此類耳形的人最喜歡「包拗頸」，如遇到此類的客人，你必須要「口水多過茶」來應付了。

雞嘴耳的女性，遇到喜歡的人，多會主動「啄」住不放。

雞嘴耳的女性亦有一個特色，是「番邦燈籠，照遠不照近」，是她的自己人，多是「無啖好食」。

雞嘴耳、川字掌的女性，多是「巴辣」之輩，男性追求這類的女孩，最好有心理準備。

反廓耳

耳廓彎曲抬高，逼近耳輪，或超越耳幹外緣，就是「反廓耳」，亦即所謂「輪飛廓反」。

耳廓反出的人，主觀強，好勝心更強，個性倔強，喜歡拗頸，不肯認輸。

往好處想，是立志堅定，義無反顧；往壞處想，就是太過固執。

耳廓反出，額卻生得高，多是大仔，或是大女。

耳廓反出，額頭不平，多是第二仔，或是第二女，奇哉。

貼面耳

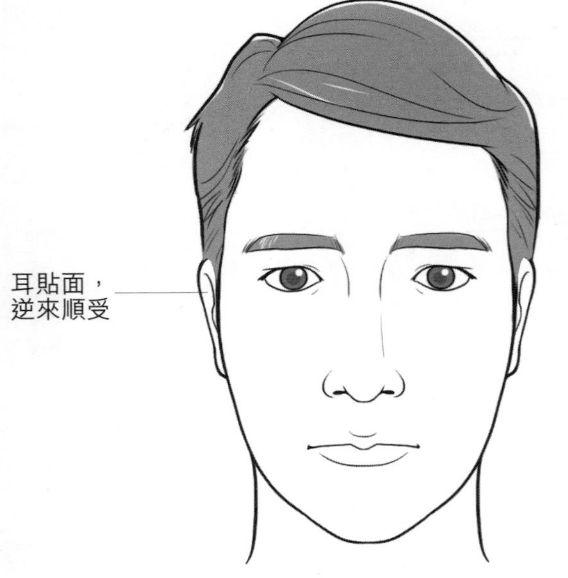

「前面不見耳，借問誰家子」，雙耳貼面的孩子，多是易教、聽話，童年運程不錯。

雙耳貼面的人，包容性高，但如雙眼無神，恐怕只是逆來順受之輩。

如精光內斂雙目的人，則做事有主見，但肯為大局而作出妥協，很多精打細算之生意人皆有此相。

兜風耳

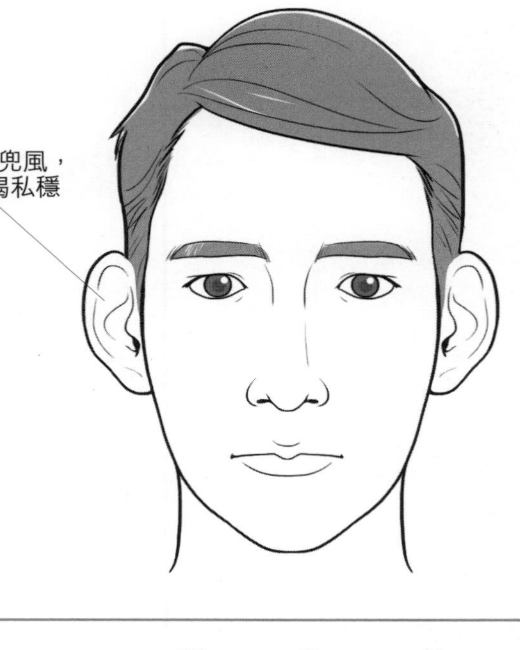

耳仔兜風，張開向前者，對父母運有不良之影響。

兜風耳的人，喜歡打爛沙盆問到底，是很煩悶的人。

另外，兜風耳的人更喜歡揭人家的私隱，新聞從業員中很多有此類耳形。

但兜風耳之人，音樂天分特別高，對音樂之鑑賞批評，有其獨到之地方。

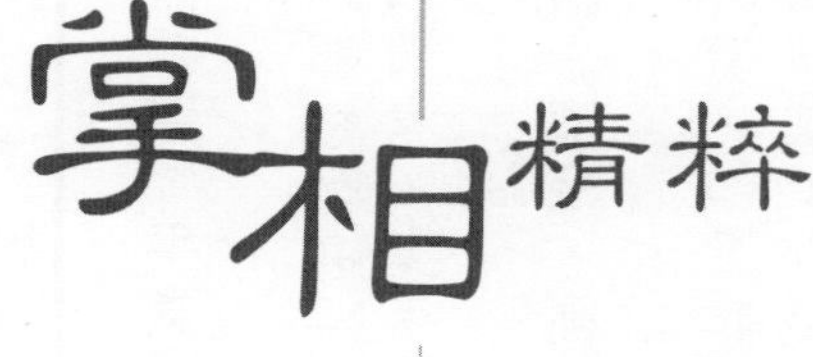
掌相精粹

額

總論

額主青少年運程，由十五歲（火星）起，直至三十歲（山林）為止，都是行額運。

額要靚、平滿、廣闊、豐隆、色潤。「額覆如肝」，如額頭像豬肝那樣光滑、潤澤，少年運就不錯。

額忌窄低、衝突、陷斜、紋破等。所謂「額上起三紋，少年無真運」，額上起皺紋，少年辛苦。

額上有橫紋，不是父母窮，便是父母早故，生活艱苦。早年出現額紋，早有操勞，心境易老。

額上有皺紋，家道中落。

額窄、額高、額低、額相不好，不宜早婚，要過了額運才好結婚。

女性額衝出、圓額、高額，是要過房給人養。女性額衝、聲拆、鼻樑有節，刑剋丈夫。

黃毛額角旋者，多過房養，童年不是與父母一起生活，從事舞小姐的都有此額相。額角旋毛，眉壓目，多是二奶子女。

男性以額為父，額低影響父母，尤其是父親，「額角巉巖父早喪」，「黃毛額角旋，父母早不全」。

額之高低，是要用三停相配來比較。

額主少年運，額不好，少年運就不好，父母運亦不好。

額過分脹滿，推理判斷佳、記憶力強、數理分析力也強；但女性卻因太過精明，影響婚姻。

女性額高宜配「白頭郎」（年紀較大之謂），否則刑剋丈夫。

瘦削額角，早做事、讀書少、知識水平低，宜學一門手藝。

額向後斜上，有亂碎雜紋，做事有本領，但生性奸詐。

額頭飽滿的人，推理、直覺、記憶的能力皆強。將額分成上、中、下三部分，如上部較凸出，表示推理能力強；如中部凸出，則記憶力強；如下部凸出，就直覺性較強。

看相最重要直覺性強，如你這個部位生得好，就有資格以為人看相為業。

額之中間，由天中至印堂，是為官祿宮，宜飽滿，可作政務官。

額上左邊太陽穴有棟紋，宜往東南方發展；在右邊太陽穴有棟紋，宜往西南方發展。

邱陵、塚墓位凹陷、狹窄，表示家山風水泄氣，或失卻祖先之墳墓。如只是微微陷落，只是祖墓失修。如出現黯黑色素，祖墓水浸或入白蟻。此部位飽滿，表示家山風水好，出將門之子。

額角旋毛

額角有旋毛，
父親生膽石

額邊有旋毛，稱為「黃毛額角旋，父母早不全」。

如父母雙全，則有二母或父母不和，聚少離多。

如無上述事，則代表母親有婦科病，需要做手術，或父親生膽石。

黃毛額角旋，多過房養，童年不是跟父母一起生活。

額角旋毛，眉壓目，多是二奶子女。

衝突額

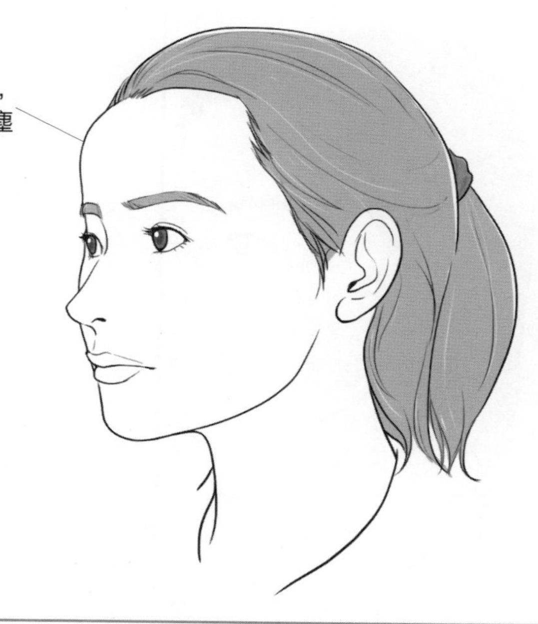

前額過於飽滿而微微凸出，好像額頭是凸出來。

衝突額、額低、額角有旋毛，女性十居其九在風月場所做事。

衝突額的女性，如口角起棱，必是社交公關能手。

方額角

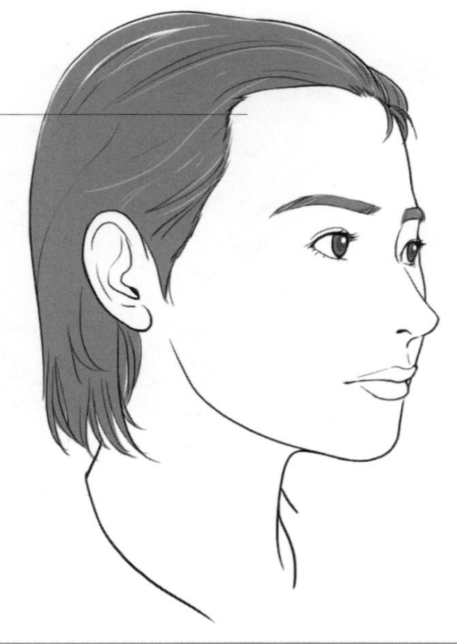

女性有方額角，又稱男額角，因主觀強，夫運不好，所以宜遲婚。

但其人耳仔軟，易信男士甜言蜜語，欠缺理性，死心塌地愛對方。

M字額

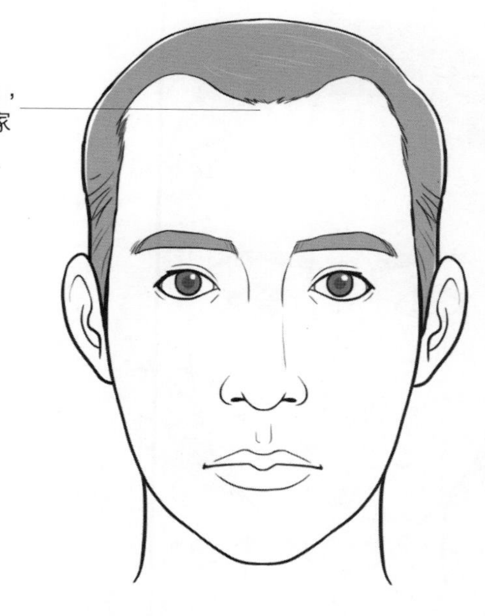

兩邊驛馬位高，有藝術氣質、喜創作，但不一定有好的運氣，只不過是有藝術氣質。

女性M字額高，主觀強，婚姻不理想。

圓額角

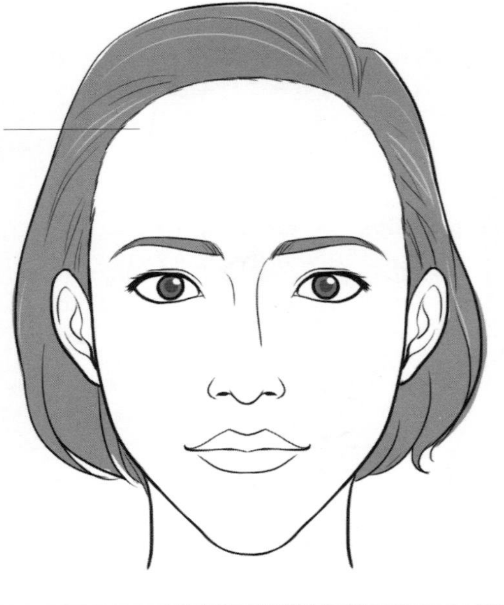

額頭似蘋果般圓。

女性會妻奪夫權，自己管家。

有生離死別，宜過房養，離開父母，與親戚同住，由他們照顧。

此種額相主孤寡，婚姻多不美滿，大多數會是川字掌紋。

川字掌者，即頭腦線與生命線明顯分開，在掌中形成一個「川」字，稱做川字掌。

美人啄

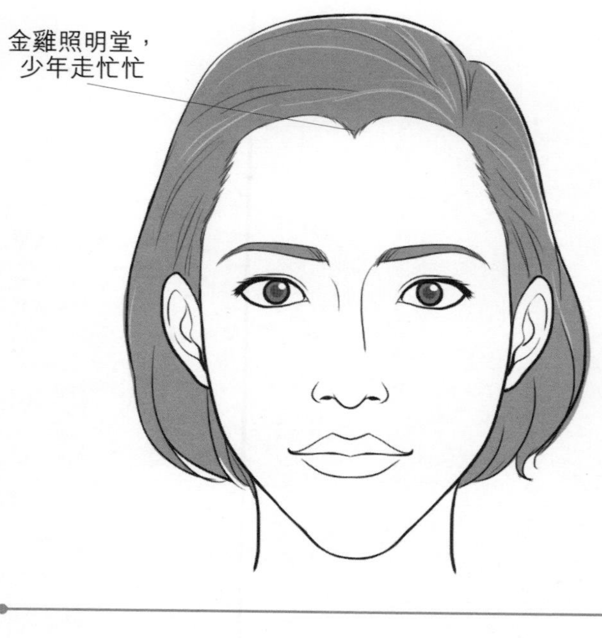

金雞照明堂，少年走忙忙。

十五歲、十六歲便離家獨自生活，很早出外工作。

或者很早便被父母送出外國讀書，離開父母獨立生活。

掌相精粹

總論

二十八歲的流年部位是在印堂。

「看相先看命宮，命宮生在兩眉中」。

印堂在面相上佔有極重要的地位，它關乎人一生的運程。如印堂生得好，一生無絕路，亦會逢凶化吉。

印堂要闊，以能放下自己兩隻手指為標準，所謂「眉心闊，大快活」。

但女性印堂則不宜太闊，否則她的男性朋友則人人快活，因她性格過於開放，凡事沒有所謂，很易成為未婚媽媽。當社工的朋友應多留意此類的女孩，加以輔導。

但印堂亦不宜生得太窄，否則沒運行，開運遲。

所謂「愁眉深鎖」者，是鎖什麼？就是鎖住印堂，印堂被鎖，表示不開心、不快樂。

有一類人，你會發現他印堂不見了，原因是「眉頭交連」，即左、右兩邊眉頭齊齊入侵印堂，你認為這一類人，會活得開心嗎？

你有沒有覺得，當你經常都是不開心的時候，會有一道氣聚在印堂？千萬不要以為是打通任督二脈，事實上，久而久之，便會形成一條直紋，叫做「懸針破印」，晚年孤苦伶仃之象也。

印堂窄之人，器量狹窄、脾氣焦急、性情暴躁、剛愎自用，故不宜與人合作搞生意。

反之，如找朋友合作做生意，亦應懂得避開「懸針破印」之人也。

所以，一個標準的印堂，應該是平滿、寬闊合度，沒有凹陷、紋破，就是合格了。

印堂闊

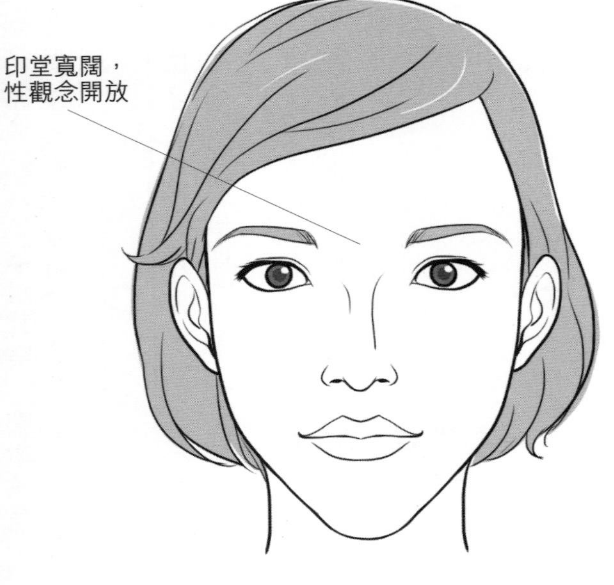

印堂之闊窄以放進兩隻手指為標準，如眉心闊，是大快活。

女性印堂過闊，缺乏貞操觀念，易成為未婚媽媽。

印堂寬闊，器量寬闊。

印堂十字紋

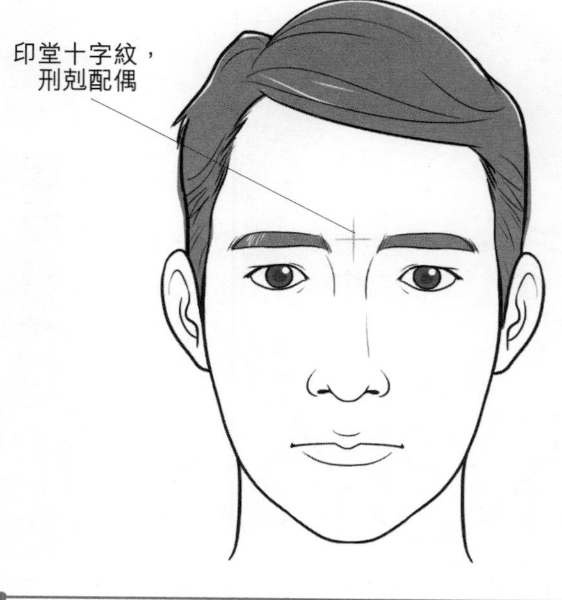

印堂忌有紋破，不論什麼紋都是不好的。

印堂有十字紋，主二十八歲流年極不利。

二十八歲是通關運，有紋主不能通關，必有不如意之事發生，例如離婚、做手術、車禍。

有十字紋者，一生事業難成、孤僻及神經衰弱。

印堂有十字紋，亦主刑剋配偶。

印堂八字紋

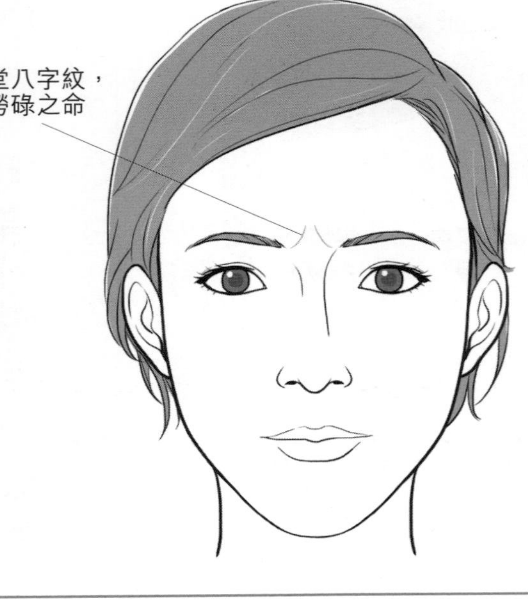

眉頭一皺，計上心頭，但皺得眉頭多就會出現八字紋。

八字紋主辛苦、勞碌，且紋破印堂，二十八歲流年便有問題。

印堂宜寬，如兩邊眉毛向內生入，壓迫印堂，主沒運行，宜用眉箝將眉毛拔去，用人工的方法擴闊印堂，此是改運之妙法，極之有效。

印堂發黑

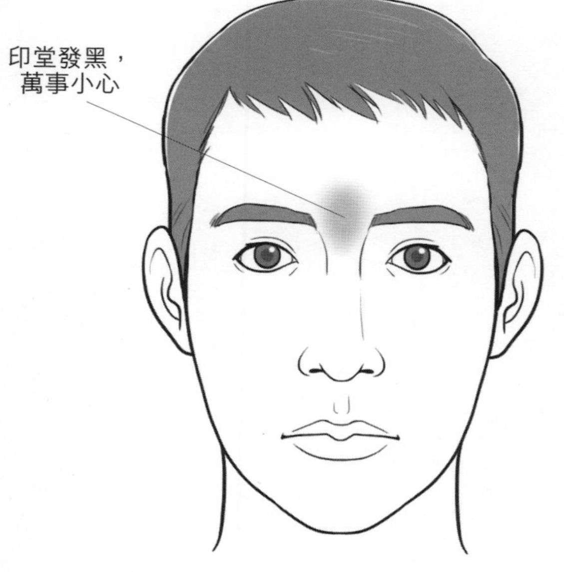

印堂氣色乃一身之主，如印堂出現黑氣，易有生命危險，俗語更有「印堂黑影就要買定棺材」之謂。

耳黑、面黑未必有生命危險，但要是連印堂都呈黑氣的時候，就是大禍臨頭。

腎主水，水主黑，面泛黑氣是主腎病，「面如水洗耳生塵」。

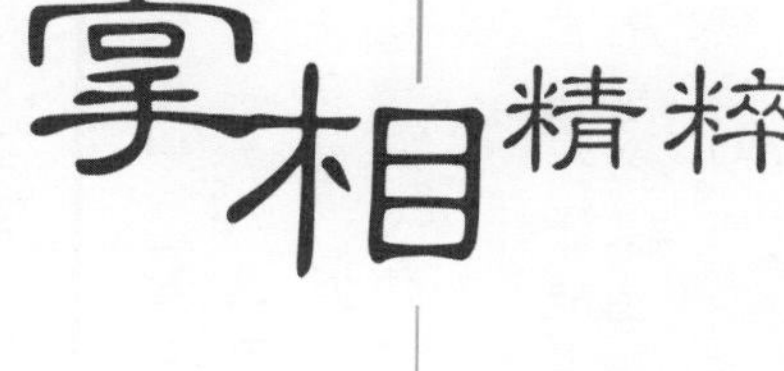
掌相精粹

眉

總論

眉的流年部位是三十一歲、三十二歲、三十三歲及三十四歲，總共主管了四年的流年運程。

眉在相學上是兄弟宮。男性，左邊眉代表兄弟，右邊眉代表姊妹及太太外家的事。女性，左邊眉代表兄弟及夫家的事，右邊眉代表姊妹間的事。

「眉粗折斷兄弟喪」，故在論斷時必須要分清左右。在男性而言，左邊眉折斷是代表兄弟有事，但右邊眉折斷則是姊妹有意外。

大體而言，眉毛以清秀見底為好，宜直宜順眼。眉毛柔軟合度，不宜濃密混濁、不能見底，不宜眉頭豎起、眉尾散亂、眉毛剛硬如鬃毛。

眉為性，眼為心，眉是看個性。

眉粗就會個性粗暴好性；眉尾向上，生性大膽。

眉頭豎起，個性衝動。

眉頭鴛鴦，父母兩樣，兄弟不能同一行業。

女性宜眉尾微微向下彎，則凡事可有商有量，不會過於剛硬，易討人喜歡。

男性則眉尾宜微微向上揚，拂向天倉，則眉有氣勢、有威嚴。試想想，如將關公眉毛向下彎落，會變成什麼樣子？

「眉長過目，兄弟五六，若然不是，必是孤獨」，但是這句說話用於今天，只是代表兄弟得力而已，但要注意，看眉毛之長短，是在看眉骨之長短，不要搞錯啊！

眉毛除了主兄弟間之問題外，還與父母有關，「身體髮膚，受諸父母」也。

「左眉高，右眉低，父在母先歸」，母親會早過父親而逝世。

反之，「右眉高，左眉低，母在父先亡」。男女同斷。

「何知其人剋父娘，但看眉粗又更黃」，眉黃代表稟賦不足，故用以反推父母年壽不永。

眉亦可以看意外之事故。

左眉頭有直紋，會穿頭或頭部動手術；而右眉頭有直紋，則會有交通意外，不可不慎。

另外，眉中有癦，不論左右，皆犯水險。

三十三、三十四歲，對上是驛馬位，這兩年就應該多些出門。

枯眉

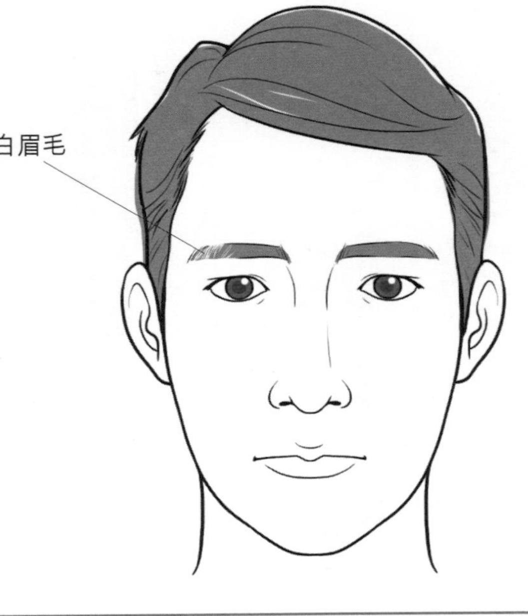

眉代表肝，眉毛枯，就要留心肝臟有病。

白眉毛，二十歲長出就三十歲死，三十歲長出就四十歲死，四十歲後長出則為長壽。

眉枯者，性格多猶豫不決，又貪小便宜。

眉交連

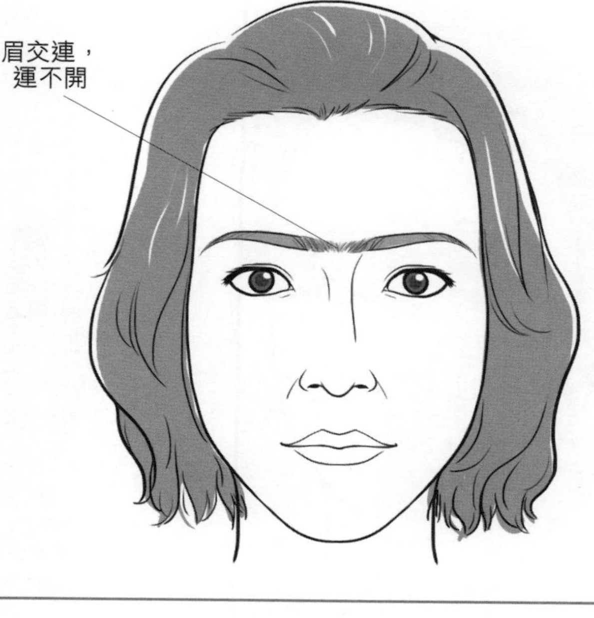

眉交連，即一字眉。

為人小器、心胸狹窄。

印堂闊，心胸亦廣闊。一字眉者，印堂全被霸佔，完全沒有容人之量。

「承相肚裏可撐船」，所以印堂好是做大事的必備條件。

短眉

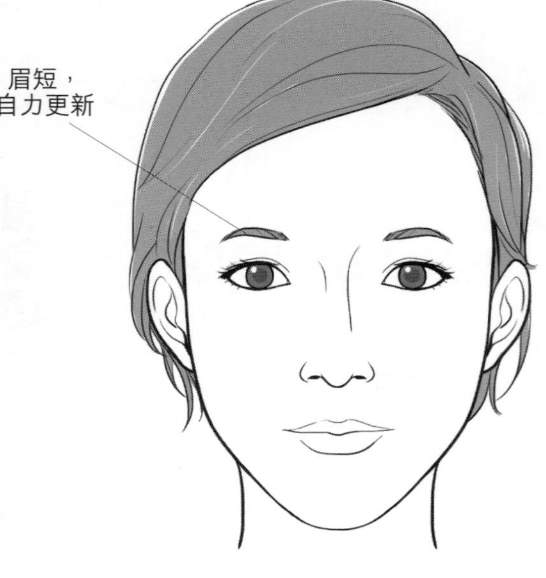

「眉短難望兄弟幫」，要自力更新，靠自己。

如果是川字掌相，根本不願靠父蔭、兄弟幫忙，喜歡自己打天下，所以絕少會繼承父業。

眉短，兄弟亦少。

眉短，勞勞碌碌，壽弱之輩。

在這裏要特別指出，眉之長短是要看眉骨，不是看眉毛。

亂草眉

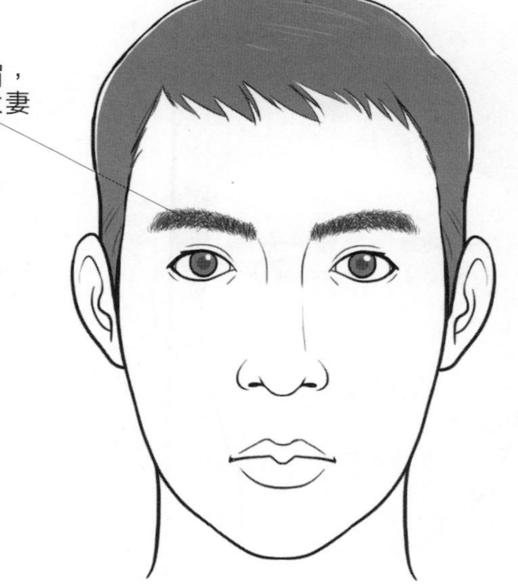

眉毛左疊右，右疊左，上下交織，凌亂不堪，性情暴戾。

亂草眉與重疊眉一樣，男性早婚配大妻。

重疊眉

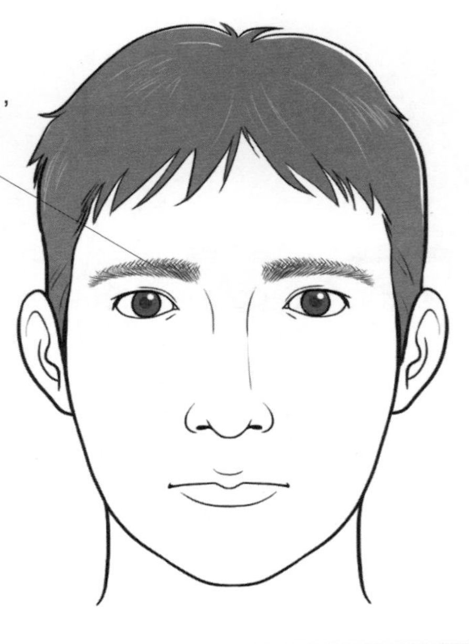

重疊眉是上層之眉毛向下生，下層之眉毛向上生，交織重疊，所以稱為重疊眉。

這種眉毛很多見，只要留意身邊的朋友，一定會發現。

男性，會娶一個年齡比自己大的女性為妻子。

女性，則會嫁一個年齡比自己小的男性為丈夫。

有些女性問，為什麼追求者總是比自己小的男士，就是因為她的眉是重疊而生。照照鏡，看看吧！

高低眉

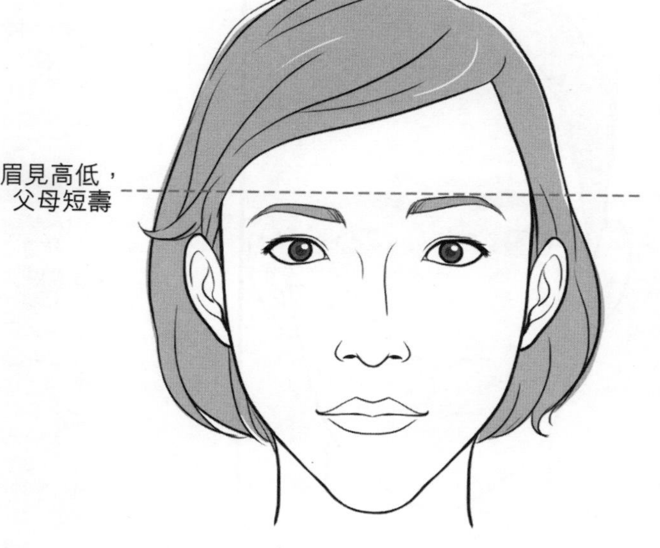

「左眉高，右眉低，父在母先歸」，即是指母親過身較父親為先。

「右眉高，左眉低，母在父先亡」，男女同斷。因為無論男女，皆以左為男性，右為女性。

例如左邊日角為父，右邊月角為母，道理一樣。

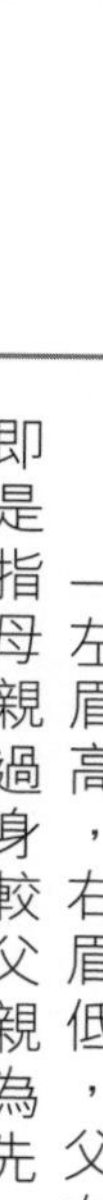

鴛鴦眉

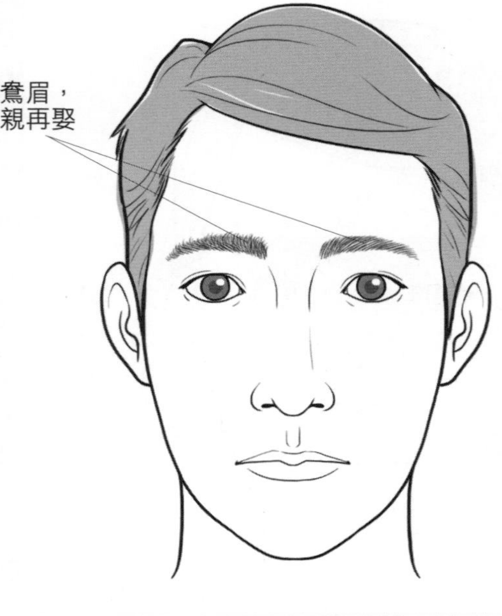

鴛鴦眉，即一邊眉毛豎起，另一邊眉毛卻順生。

鴛鴦眉代表：

（一）父親再娶。

（二）母親携子女再嫁。

眉頭兩樣

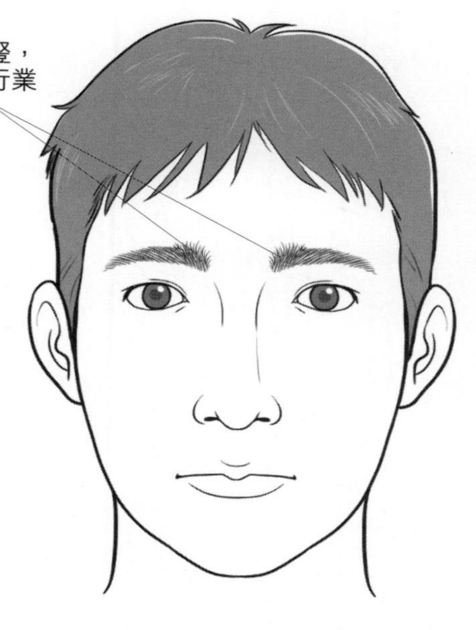

眉頭兩樣，兩邊眉頭皆豎起，主兄弟不能同做一行之生意，或兄弟不能一起工作。

如有家族生意，兄弟其中有人要另起爐灶，發展另外一行之事業。

掌相精粹

總論

眼為心，在五官中眼是最重要的，佔了八年的流年運程。

男性三十五歲行左眼頭，三十六歲行右眼頭，三十七歲行左眼珠，三十八歲行右眼珠，三十九歲行左眼尾，四十歲行右眼尾。

這六年之流年部位，女性與男性完全一樣，這是在面相流年部位唯一不需要男女互易的部位，請各位習相者要特別留意。

男性四十二歲行精舍，即是整隻左眼，四十三歲行光殿，即是整隻右眼，女性則相反。

不開心、有淚眼，就會鬧離婚，多在二十八歲、三十三歲及三十七歲發生。三十七歲就是行左眼珠，所以行眼運時，如眼生得不好，就要小心離婚。

眼要黑白分明、要清、要有神，忌眼矇矇，忌黑少白多，否則主意外多、做手術。

眼忌凶露、有火、眼蒲、眼神兇，主有痛症、意外，血光之災、手術。

眼忌紅絲，是謂「赤脈貫睛」，有紅絲在眼白穿過瞳孔，謂之殺人眼。

凹盅眼，即眼皮凹瞳孔，手腳容易有事。

眼要藏神，精神足，可以從商。眼忌無神、眼怨、眼有淚積，會影響婚姻。

眼神要正，不要斜視。女人要找好丈夫，要找眼正、鼻直的人，包無撞板。

眼頭與眼尾要平行，不要斜，最重要眼頭不要斜落，眼頭不要尖。

要留意眼白佔眼睛的位置有多少，如眼白特別多，眼瞳特別小，像蛇眼、鼠眼就不佳。

眼瞳代表心臟，眼有凶光，好像「玻璃膠」一般攝出來的，就一生常動手術；眼愈凶，開刀次數愈多。

眼神亦是很重要，是要看其一眨眼間開合的那種神態，如果眨完眼放出來的眼神有精光就是好，有凶光就是不佳。

眼愈長而細，太太是美人，「何知妻子值千金，但看眼下淚堂深」，裝眼淚水的位置就是淚堂。

眼又為男女宮，代表男女關係，代表感情問題。男女鬧婚變，多數在三十六、三十七歲發生。

無眼珠的人，例如盲人，就要看眼形。

頭不動而眼珠竄來竄去，心就不正，此人品格很有問題。

眼珠若是經常轉動，三十七、三十八歲會有轉動機會，會升職、搬遷、有喜、遇險、官非、桃花等。

眼亦為父母，左眼為父，右眼為母，高低眉、大細眼，均為同父異母。

三白眼

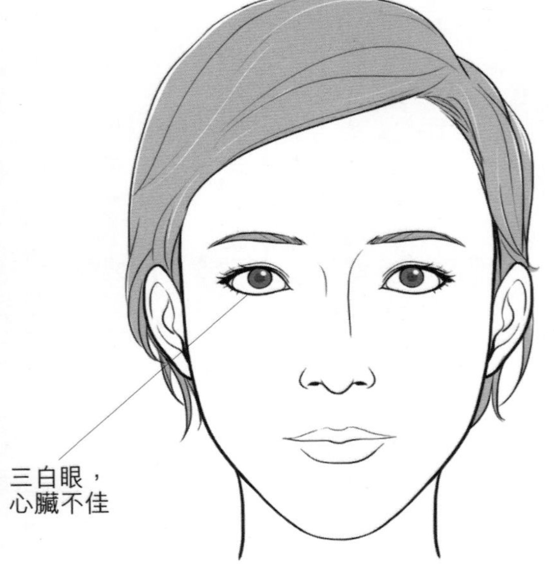

三白眼，分上三白及下三白。

眼瞳下沉，上半部露白，是上三白。

眼瞳上升，下半部露白，是下三白。

無論上、下三白之人，皆是靠不住、信不過之人。

凵盅眼

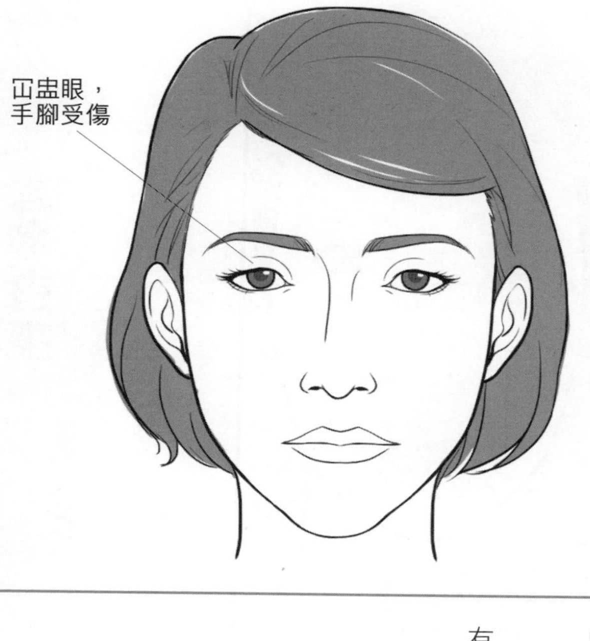

上眼皮下垂，遮住瞳孔，就叫做凵盅眼，或稱半槑眼。

手腳會易被針穿過，或刀傷，最多有此眼形的就是製衣廠之女工。

左眼如是，則右手、右腳受傷。

右眼如是，則左手、左腳受傷。

黑多白少

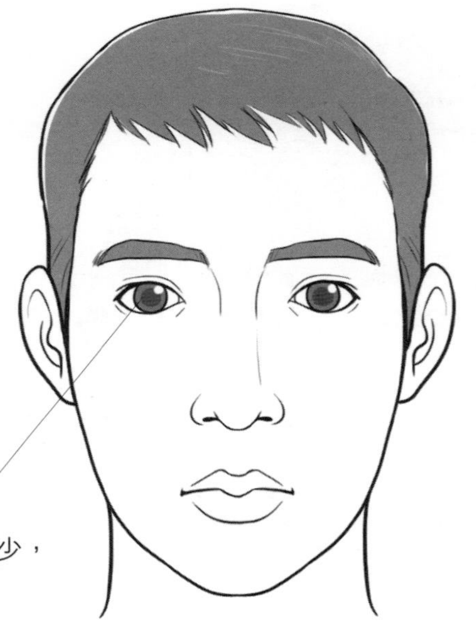

黑多白少，即眼珠大，眼白少。

這種人感情豐富、性格耿直、觀念保守、缺乏創新。

做事按部就班，循序漸進。但遇到危急情況，就不懂轉彎，往往作出錯誤的決定。

黑多白少的人是「炮仗頸」，但吵完一輪就算，沒有隔夜仇。

白多黑少

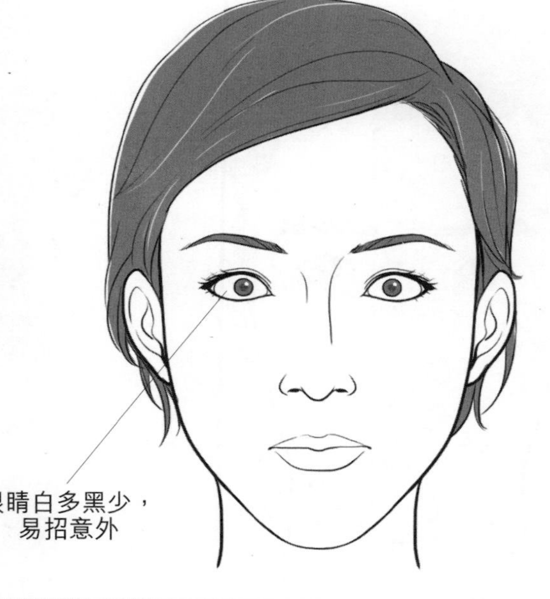

白多黑少，即眼白太多，而眼珠小，心臟易有問題。

四白眼者，其眼睛在中央，四周皆白，稱之為四白眼，主心臟病、畏高、白癡、刑剋、驚險。

白多黑少的人屬「陰濕」，唔聲唔聲，嚇你一驚。

大細眼

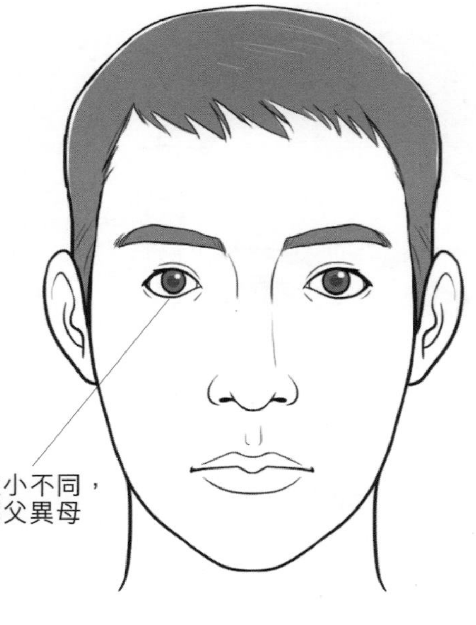

兩隻眼睛很明顯的大小不同，稱為「大細眼」，又稱「雌雄眼」，會有同父異母或同母異父。

男性很風流，易有金屋藏嬌之事。

左眼大，就欺侮妻子。

右眼大，就怕老婆。

大眼

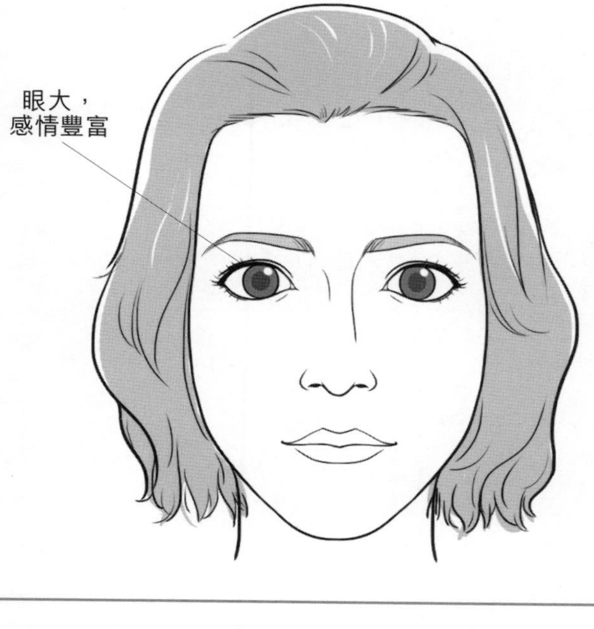

眼睛大，觸覺敏鋭、反應迅速，性格比較爽朗外向。

喜歡交際活動，音樂感強，色彩鑑別能力好，所以可以成為出色之音樂家或畫家。

男性則是談情説愛之能手。

女性早熟，愛得熱烈，但感情亦很快冷卻，故早婚多離婚。

大眼的人，最無定性，三分鐘熱度，樣樣都學，樣樣不精，周身刀，無張利。

掌相精粹

總論

山根主四十一歲之流年運程。

兩隻眼睛中間之部位稱為山根，因是鼻子的起點，以鼻象徵山，山之根，所以名山根。

根者，祖業之意也，山根與祖業之繼承也有密切之關係。山根貫印堂，多能有祖業資產的承繼。

另外，山根亦是人之命根，與壽元有關。山根是腎絡經過之地方，先天稟賦不足的人，多是青根橫露。如後天縱慾，會影響壽元。

三十一歲至四十歲行眉眼運，一踏上四十一歲，便轉上顴鼻運，是人生另一階段的開始，如眼運不佳，但山根生得靚，其運驟起，衝上雲霄。反之，如果眼運佳而山根斷陷有紋，則運程會急轉直下，因山根是轉角運的里程碑，不可不知。

四十一歲，亦是通關運，通過山峽便可直上高山，有人用鼻頭來比喻龍穴所結之地，山根是過峽之處，所謂「過峽若值風搖，結穴定知力短」。山根之好壞，奠定以後十年之根基。

運逢通關，必要見喜，否則有殃。「山根低陷母先亡」，山根有缺陷、紋破，則要小心老人家的健康。

山根以容納一隻眼睛的距離，並以

豐滿光潤為吉，不宜有斷裂、傷痕或黑痣。

在雲流法而言，四十一歲的山根會影響到三十五歲及三十六歲的運程，因左眼頭及右眼頭是在山根之旁，如山根低陷、折斷、紋破或有痣的話，必然影響到三十五歲及三十六歲之運程。

山根之色黃明紫潤，則會置業。

玉嶺橫紋

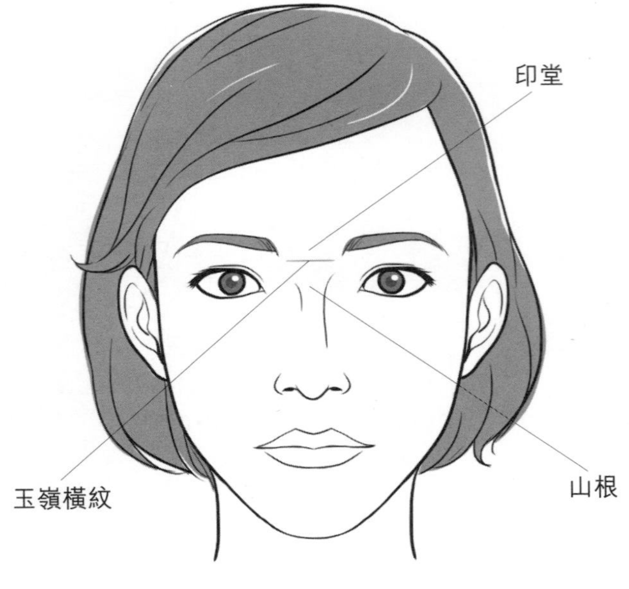

兩眉之間的位置叫印堂。

兩眼之間的位置叫山根。

玉嶺就是在印堂與山根之間的地方，又稱玉堂。

山根折斷，流年四十一歲會遭遇大挫折，加上玉嶺部位亦出現橫紋，流年三十九歲就會犯官非，如涉訴訟亦會敗訴，特別是離婚官司。

山根橫紋

山根有橫紋，初年辛苦忙碌。三十六歲及四十一歲會有挫折，有交通意外。

男性山根有橫紋，主太太難產。

如山根紋多，遭遇挫折的次數就更多，同時還有神經衰弱。

山根有橫紋，主不能繼承祖業，及留在出生地發展，若能移民外國，會有較佳機會出人頭地。

山根低

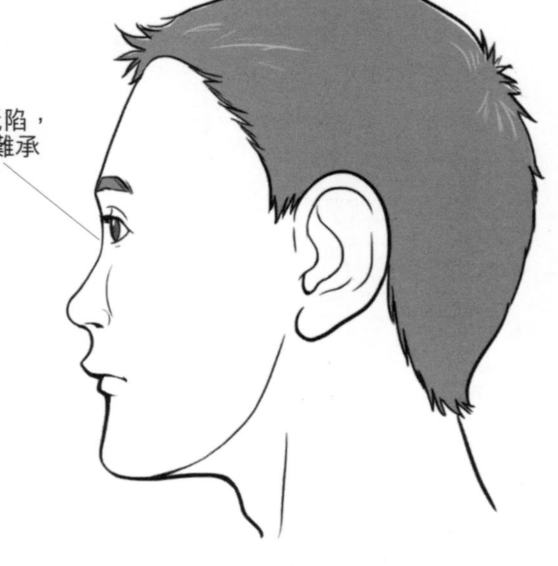

山根者，人之命根也。

山根低陷，則稟受先天之氣不足，故主短壽，不滿四十。

但要兼看眼神及其他部位，才可以定奪。

山根低，鼻的氣勢不好，表示根基薄弱，不易獲得祖業家產。

山根低，宜遠離出生地，漂洋過海到外地謀生。

山根高

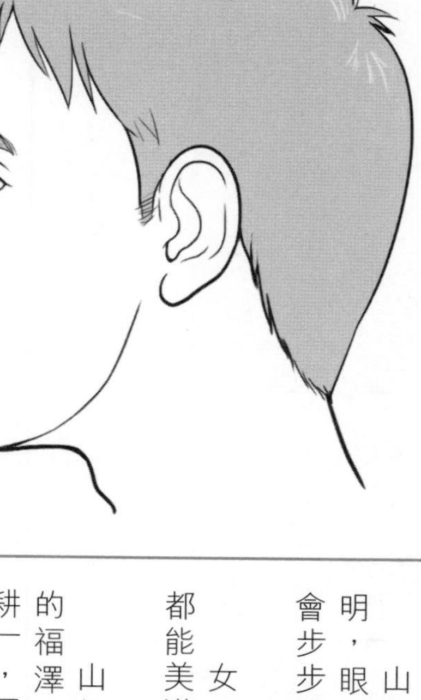

山根高，就顯得鼻有氣勢。

山根貫印，直達前額，眼睛黑白分明，眼神充足，不僅長壽，社會地位亦會步步晉升，成為社會賢達。

女性山根平滿或稍高，婚姻或事業都能美滿。

山根高聳，亦能繼承祖業或上一代的福澤，所謂「心田先祖種，福地後人耕」，可過幸福愉快的生活。

掌相精粹

總論

男性，流年部位四十六歲為左顴，四十七歲為右顴。女性相反。

權生於顴位，從來面無顴而又有權者，極之少有。無顴則鼻無輔，無輔則不發，顴要有肉包，因顴骨無肉則為硬，謂之硬顴，如女性顴骨無肉而插出，會剋丈夫。

顴一定要有肉包才好，顴骨一定要在面的中央，如顴向上插，為顴插天倉。

顴好，還要鼻配，假如顴好鼻塌，僅得貴人輔助，顴運仍敗。

顴好，不單要鼻配，還要面配，有顴而無面與鼻相配，皆主中年大敗。

如女性不求顯達，反不如平隱之顴為貴，若高、若橫、若粗，皆為剋夫。

顴露，女子顴露而聲雄，是為妻奪夫權，七夫不了；顴高額尖，三夫不止。

顴眉相爭，必有小產、生產有手術，大兒子或小兒子會破相。

女性顴骨過大，不能坐正，要做偏房、妾侍。顴大於鼻，妻奪夫權，婚姻不美滿。

女性顴骨有黑斑點，丈夫會有肝病，如果一片黑色斑點，丈夫就會有肝癌，多會在三十三、三十七、四十六歲應數。

女性無顴，丈夫運氣不好。

女性旺夫，要鼻頭有肉，才會旺夫；是否可以掌握大權，就要看顴。

如想做「事頭婆」，就一定要顴襯鼻，才有可為。如無兩顴襯鼻，就不能做「事頭婆」，有得做亦無話事權。

如顴骨高插，鼻夾在中間，是自己做生意，做個辛苦事頭婆，與丈夫無關。

如顴骨在中間，而顴、鼻相配，就可丈夫賺錢，享丈夫福。

四十六歲是一個非常重要的關口，通常離婚多數是在四十六歲。四十六歲是一個轉變的運，是識限運；第一關是在三十三歲、三十四歲。第二關是在三十七歲；第三關是在四十六歲，人生運行至此三個關口，都要小心。

如四十六歲左邊有條紋破顴骨位，駕車會撞到人，撞斷別人的腳。如兩邊都有紋破雙顴，就會撞死人。

四十六歲對上的位置是驛馬位，所以要移民、搬屋、搬寫字樓、結婚、添丁，都會在四十六歲。

如果顴陷瀉，四十六歲會有白事，即有老人家過身，或會破相。如果是左邊破，會有男性長輩過身；如果是右邊破，會有女性長輩過身。

破顴紋

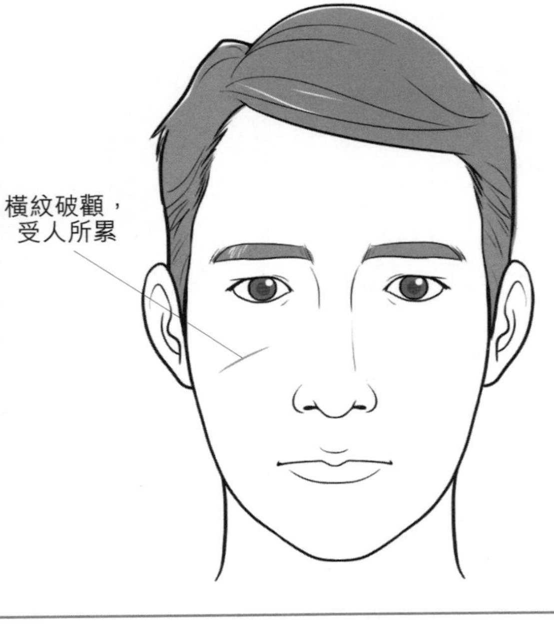

顴被橫紋所破，會被親戚、朋友所累。某位名歌星，顴被紋破，盛傳要被迫代兄還債，雖然不了了之，但都被麻煩了好一陣子。

顴者，權也，權力被破，可以想像情況如何。

左顴被破，主下屬陽奉陰違，子女不聽話。

右顴被破，主兄弟不睦，夫妻常爭吵，家裏難得平靜。

如雙顴皆被紋破，情況更加嚴重。

顴上生瘡

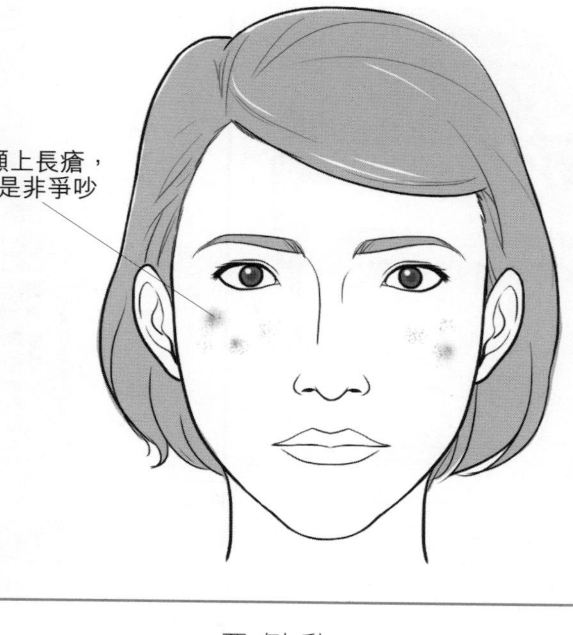

顴上長瘡或粉刺，都是主近期會惹是非，與人爭吵。

在法令紋內長暗瘡，與自己人吵架。

在法令紋外長暗瘡，與街外人爭吵。

總之，在顴上長瘡，凡事宜靜不宜動，這個時候想辦任何事，皆事與願違，例如搬屋、旅行、轉工，皆宜靜不宜動，要待暗瘡痊癒後，才可恢復行動。

顴生黑痣

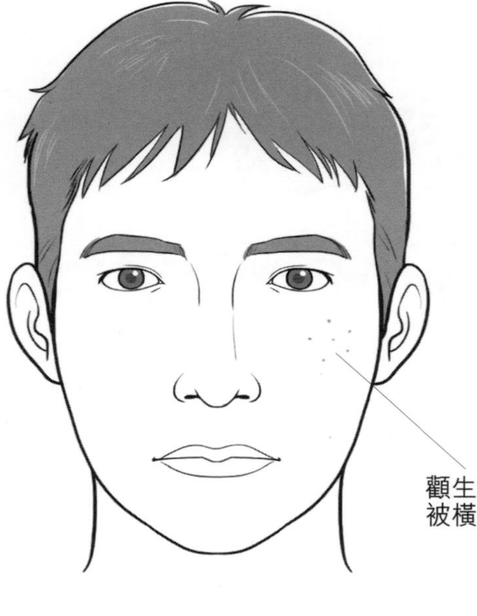

面無善痣，身無好癦。

男性左顴有痣，會有被人橫刀奪愛之事。未婚者有人爭女友，已婚者有人爭太太。

總之，顴骨有痣者，就有人同你爭女人，麻煩多多，惹事惹非，不能倖免。

顴上有痣，權力被奪，或職權被架空，無兵司令也。

顴上有痣，亦宜留心有肝病及心臟病。

顴如桔皮

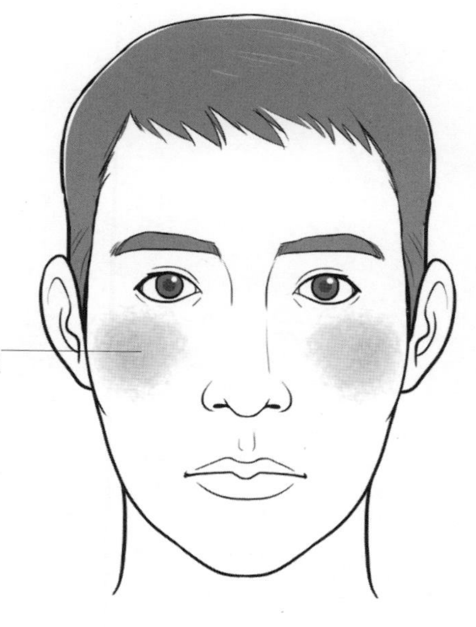

顴肉粗糙，皺起如潮州柑皮的樣子，一生都為別人的事而操勞，中年運亦欠佳，坎坷不得志。

但兩顴之皮肉過於光滑，亦屬不佳，男性是孤獨，女性則有虧婦道。

桔皮紋向上不算太差，如桔皮紋向下則較差。

掌相精粹

總論

男性，鼻為財星；女性，鼻為夫星。

鼻頭大，蘭台、廷尉夠張橫，就可以賺快錢。如鼻翼不夠張橫，則不能賺快錢。

鼻要與顴相配，鼻太高，如打工的話，就是「功高蓋主」，沒有好結果。

鼻氣勢直，就會有名氣，所謂「準頭對司空，揚名於祖宗」。

鼻頭有肉，心地好，所謂「鼻頭有肉心無毒」。

鼻準如鈎，力迫水星，就自私自利。

四十八歲行鼻頭，是通關運，鼻氣勢好而準頭有肉，如未結婚，就會結婚；如結了婚，就會添丁；如已結婚，亦已添丁，就會買樓。

鼻頭有肉，如不見喜，就會見喪。「一喜擋三災」，如不見喜，則會着服。

由顴轉上鼻頭，鼻頭是通關運，是四十八歲之流年，逢通關運就要見喜沖，所以有新工作、新環境轉變，有喜事就好，無喜就着服。

山根低破、鼻樑折斷，事業就有阻。

鼻樑起節、顴骨低陷、橫插天倉，如離婚後想再婚，必須過顴骨運才能成事，即四十七歲之後。

鼻氣勢雖然直，但山根低，有橫紋，鼻運必有一次人生大挫折。

鼻樑起節，重疊眉，早婚就早離婚。

鼻樑起節，有魚尾紋，風流相。

鼻樑起節，雞嘴耳的人，固執、每事問、執着、包拗頸。

女性鼻樑柱高有節，而顴橫生，易剋死丈夫。顴不橫生，就沒問題。

做藝員，鼻要直，才會走紅。

鼻準下有分裂紋，男性叫「狗公鼻」，主一生犯桃花，有手術之應。女性則「打爛沙盆問到底」，長氣非常。

鼻短的人，無固定的職業，或經常轉工。

鼻特別細小，自尊心重、做事猶疑、倚賴性重，容易受人支配。

鼻頭有癦，會誤服藥物，或藥物中毒。

鼻樑有痣，易有痔瘡，一粒痣是痔，一片痣則是瘺，大便不是從肛門排出，而是在肛門附近肌肉流出，所謂「老鼠偷糞」，非常痛苦。

鼻樑有痣，運程受阻，工作比較吃力。

男性有色難，女性婚姻易有問題。

鼻曲

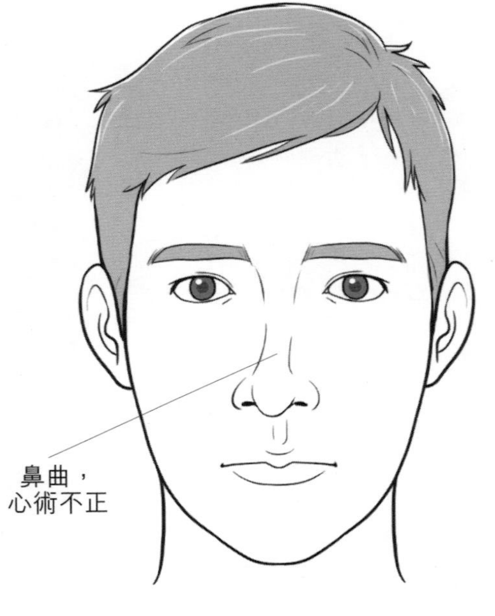

鼻曲的人性格怪異偏激、行事古怪、缺乏正義感、易走歪路。

鼻樑彎曲，很可能脊椎也彎曲，多腰骨不舒服。

鼻樑彎曲，頸骨也會彎曲，如嬰孩見之，宜早加防範，延醫診治。

鼻樑有紋

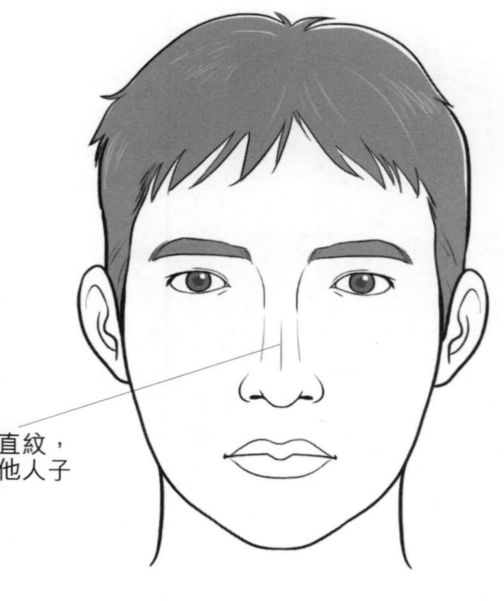

鼻樑直紋，會「假養他人子」，即會助養保良局之孤兒，或收養孩童當為自己的兒女。

女性如笑起來的時候，鼻樑有直紋，主有婦科病。若連人中亦有直紋，則問題會更加嚴重，宜找婦科醫生檢查子宮。

鼻高而長

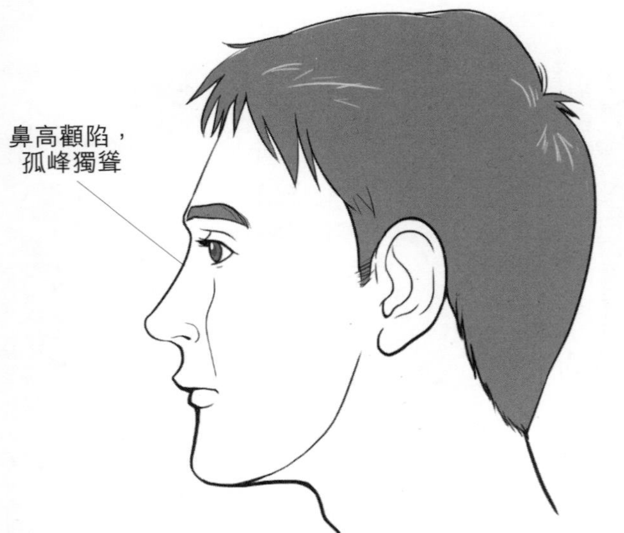

鼻在面部之中心，為五嶽之首，當然以高隆為好。

鼻長，則自信心強、智力強、主觀強；太長則為人偏激、剛愎自用。

鼻高而顴陷，為「孤峰獨聳」，六親無靠，易惹是非。

打工者，是謂功高蓋主，十載功勞一朝散，慘澹收場。

女性鼻高，恐怕虛榮心重，是孤單之命。

鼻直

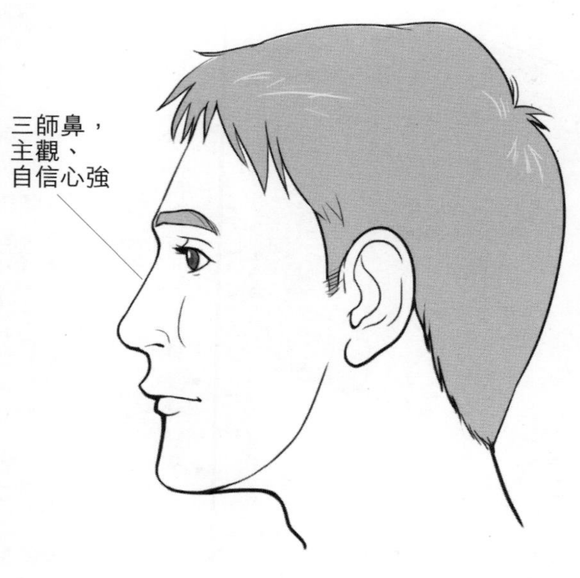

鼻直，為三師鼻。

三師者，指律師、醫師、會計師，即泛指專業人士。

女性鼻直，丈夫就是專業人士；女性鼻直，準頭有肉，丈夫多是身材肥胖。

鼻直的人，主觀很強，由於自信心強，所以凡事有自己一套見解，若加上是川字掌，主觀會強到不得了。

鼻子挺直的人，理想崇高，重視精神生活，或有潔癖，如太乾淨，則易有癌症，小心三十七歲及四十六歲流年有此劫。

鼻低

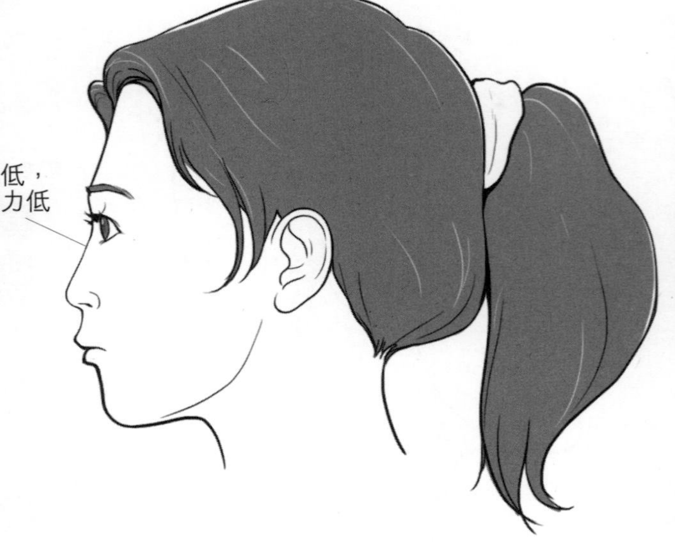

鼻低的人自卑感重，智力與頭腦都比較簡單。

依賴性重，容易心灰意冷、鬥志低下、性情懶惰。

鼻樑柱高，喜出鋒頭。

鼻樑柱低，剛剛相反，處事低調。

鼻愈低、細，代表智慧不開，所以都市的人多是高鼻；窮村僻壤、文化水平不足的人，鼻多是低。

讀者有否留心到，嬰兒、兒童的鼻多數不高？但當他們接受教育後，鼻子會慢慢高起來。

鼻短

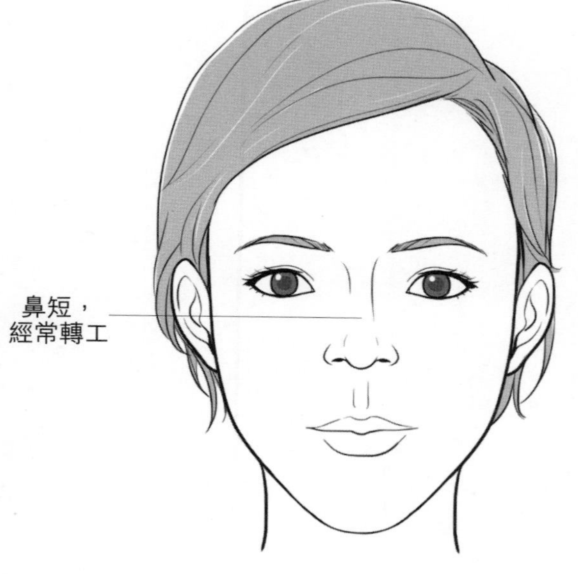

鼻不及臉長的三分之一算是鼻短。

鼻短的人，工作多不穩定，任職散工之人見此鼻最多。

另外，每份工都做不長，經常轉換行業亦是此種鼻形。

此類人缺乏責任感，喜吹噓，車天車地，喜做驚天動地的事，但都是空談。由於缺乏責任感，所以很多事都不會去斤斤計較，事事無所謂，所以若由他管數，必定一塌糊塗、公私不分。

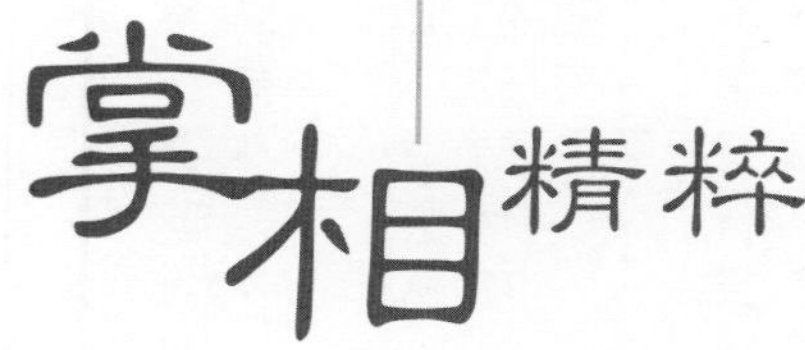
掌相精粹

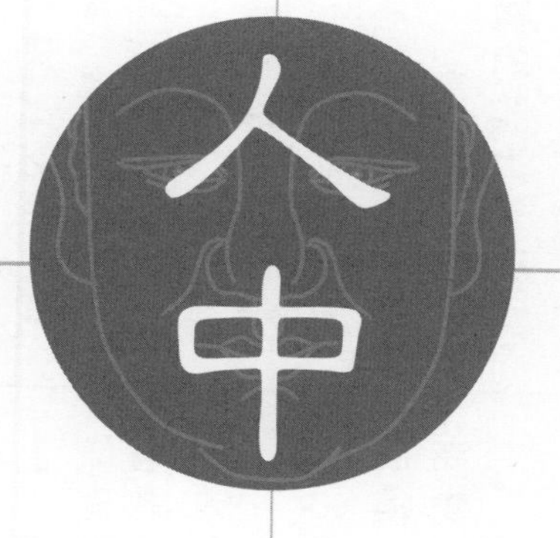
人中

總論

人中，是鼻子下面通向上唇的一條凹溝。

鼻子司呼吸，是吸進天上之氣，嘴司飲食，是吃進地下之食，它居中間，所以稱為人中。

古人曾以人中為「保壽宮」，認為人中位於口角與鼻之間，具有流通與調節的能力。

人中又代表生命延續的能力，在女性是象徵為孕育胎兒的地方——子宮。

上海中醫藥大學的一群科研人員已作了大量之研究，證明子宮病變與人中的形態有密切的關聯，在臨牀用以幫助診斷子宮的病變。

例如，他們發覺人中上寬下狹，或上下俱狹，或人中淺平，或人中有縱橫紋理者，多易出現生育機能障礙，有些是屬於子宮位置異常，有的是卵巢功能不健全。

還有，在懷孕期間人中變長，有六成機會誕下男嬰。足證「人中反映子宮病變」這套學説是有其立足之地方。

人中為流年五十一歲的部位，人生的運程至此為一大關隘，臨近更年期，所以覺得全身怠倦無力，而且無論事業、壽命、財產、子媳都有一沖的可能，所以又名「人沖」，是沖得過去就平安的意思。

人生的道路，就像高速公路，而山根、人中、承漿及地閣，就好像是四個收費站。虛歲流年為四十一（山根）、五十一（人中）、六十一（承漿）及七十一（地閣），都是人生的重要關卡。我們經過收費站時，要減速慢行。

所以，當運勢過人中這個重要關隘的時候，也要同樣的減速慢行，不能令自己過於疲勞，處理一切事情就要謹慎小心，發現患病要立刻就醫，尤其是人中平滿的人，更要特別注意自己的健康。

五十一歲為重要的「通關運」，還記得它是十三氣勢部位之一嗎？一定要見喜事，否則會有刑剋。

如人中有直紋，留意兒女會有交通意外。在四十八歲要令他們離開自己身邊，五十一歲過後才團聚，方能避此一劫。

人中彎曲

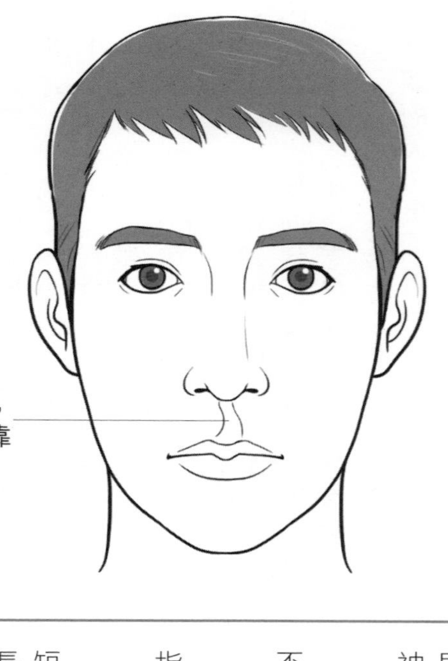

人中彎曲者，是言而無信、奸詐之徒。如人中生得正，無彎曲，不偏不歪，則為人正直，不説謊話，當然要兼看眼神。

如人中彎曲，尾指過長，講話時眼不正，牙齒不齊，此人一輩子都講大話。

手指尾長的人講説話技巧很高，手指尾短的人，説話詞不達意。

尾指長過無名指的第三節就為長，短過無名指的第三節則是短，最適中的長度是在第三節處。

女性人中歪，鼻樑柱（年上、壽上）有直紋，生產時就要開刀。

人中短

人中短的人，做事很心急；人中長的人，會慢條斯理。

人中短的人，特別愛聽奉承的說話，喜戴「高帽」也。

人中短的人，做事不會貫徹始終，耐性不足，常常半途而廢。

人中短窄，亦代表家內廚房窄，不喜歡烹飪。

人中短的人，易與人結怨，亦主短命。

人中直紋

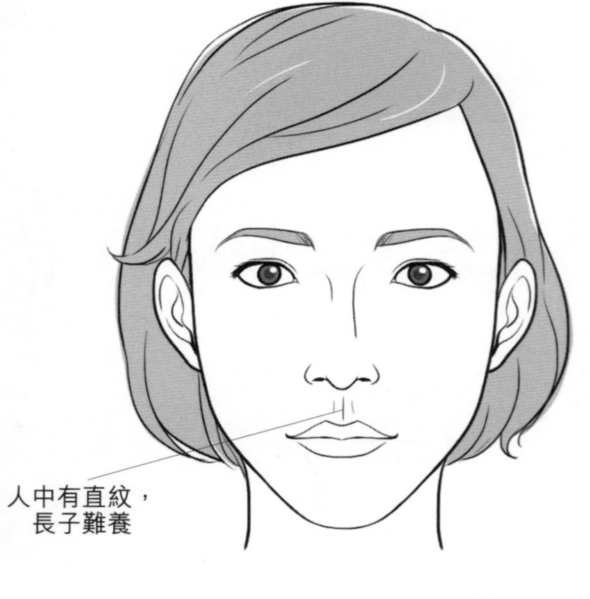

人中有直紋，長子難養。如果生第一個是兒子，他就會在你四十八歲之年離開你，出門讀書。

假若兒子在你四十八歲時不離開你，他就會有車禍及有危險性意外。

人中有直紋，長子難養、有破相，要契人或契神。

有直紋，又有一條橫紋，如收養乾兒子、乾女兒，就宜先收養乾女兒。如要添丁，就以先添女兒為好。

如果是先添兒子，就要將兒子契人或契神；但如先添女兒，則不用契人、契神。

人中橫紋

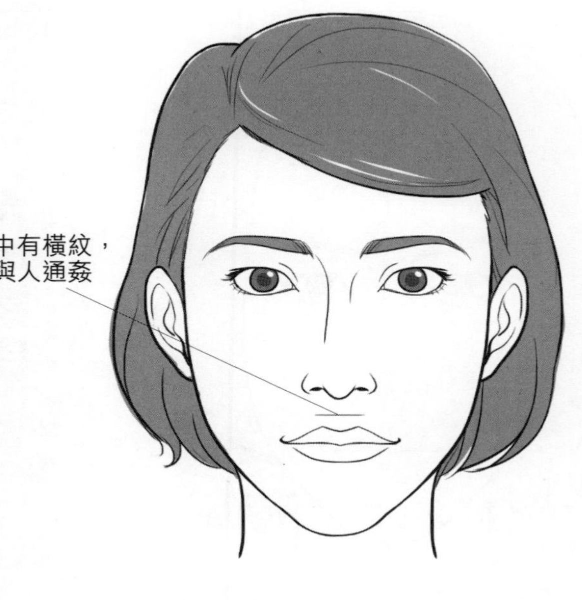

笑起來人中有橫紋，為通姦紋。

眼之夫妻宮又有黑色橫紋，就會對配偶不忠。

這類人不論男女，皆不容易享受配偶的福分，而且會為子女操心。一生多病痛，尤其在五十一歲至五十三歲年間，阻滯多多。

人中黑痣

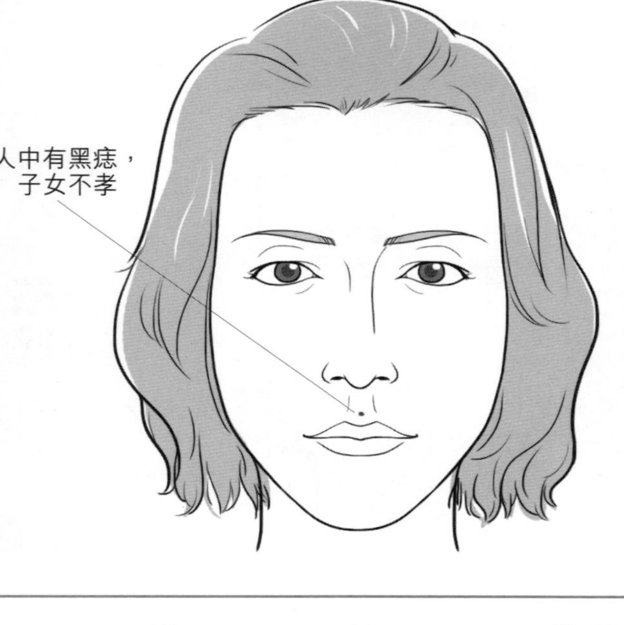

人中顏色灰暗，子女不孝順，即使是收養或上契的子女也一樣。如屬漆黑發亮之好痣，則會有一位好兒子。

痣在中間，生殖機能弱，不易懷孕。

痣在下方近嘴唇，易紅杏出牆，或被誘姦。

人中有痣，小心水險。

如果人中生瘡，是子宮、陰道或尿道發炎，易有口舌、爭吵之事。

人中鬚寒

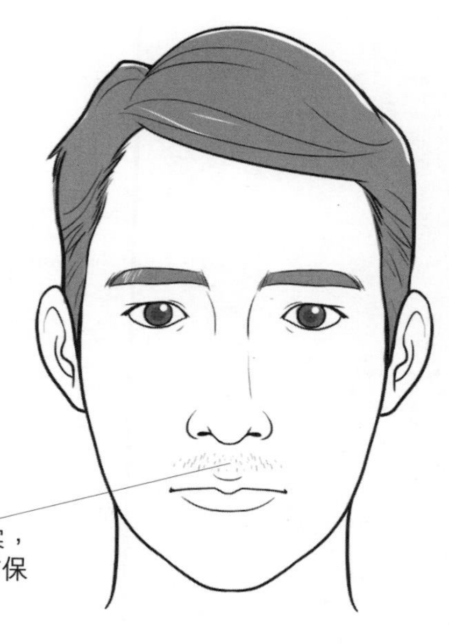

人中無鬚或人中鬚寒（即少鬚），絕不能與人合作做生意，合作必散。亦不能替人作擔保，否則受牽累，惹禍上身。

人中無鬚或人中鬚寒，凡事親力親為，為人抱打不平，見義勇為。

如人中鬚密，代表過了中年之後就聚財，但最重要是色澤光潤，方屬好運；如缺乏光澤，亂逆倒生，仍屬辛苦。

留鬚要四十八歲開始才可以留，因為是有特殊之作用，故面相無破敗者，不宜留鬚。留鬚要注意，不要被鬍鬚困口。

忌鬍鬚長至顴部，惹事惹非。

掌相精粹

總論

看法令要注意以下數點：

（一）法令是否過口

（二）法令闊或窄

（三）法令有否折斷

（四）法令有否癦痣

（五）法令是否深刻

（六）法令長或短

法令紋是用以看名譽地位、是否刑剋父母、手腳是否有事、是否有重親、壽命長短、是否犯水險、喉嚨有沒有問題之處。

四十歲後，法令就要長出來，但太早出現則主苦淚孤寡，婚姻不美。

法令要闊、要深，中年有此法令，有地位、名譽、長壽。

因法令生在口側，口部常常郁動，所以法令佳就會出門，不佳就奔波勞碌。

法令紋深，見喜事，嫁女、添孫、升官發財。

法令紋弱，家宅有事，有白事或有家人要進醫院。

法令紋短，五十六歲、五十七歲一定要遠行出門，是驛馬紋，利遠行。

法令紋色黯，賭錢會輸，色紅會與人吵架。

法令紋彎入口，叫螣蛇入口，從前主餓死，現多患食道癌、喉癌，或因不吃東西而死，即患厭食症也。

在法令外側有細小之紋，叫孤壽紋，雖主高壽，但晚年孤單。

流年五十六歲、五十七歲要通關，所以要見喜，否則見凶。

雙重法令，有兩個母親、兩份職業或過房養。

左法令表示正職，右法令代表兼職。

法令有癦，主犯水險，亦代表手腳受傷；右法令有癦，則左手、左腳受傷；左法令有癦，則右手、右腳受傷。

「法令不過口，不過五十九」，所以，五十六歲不見法令紋，就要留鬚救之。如開過刀、做過手術，則不用留鬚。

「何知壽年八十二，法令低垂是」，所以法令與壽元亦有密切關係。

法令不顯

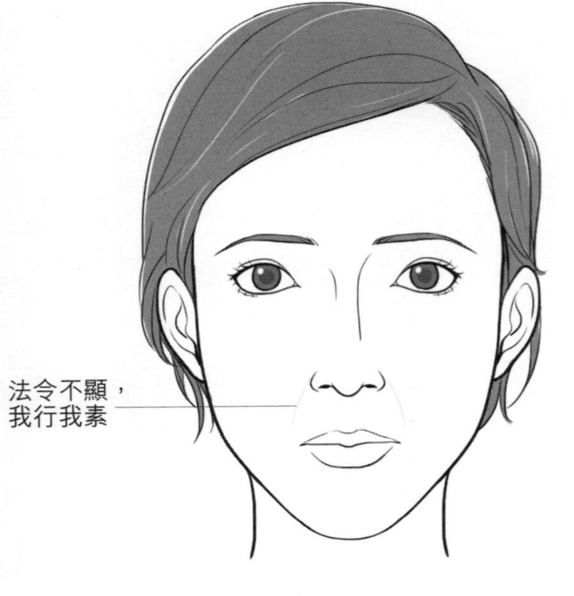

法令代表社會之地位，如法令隱而不顯，表示職業不安定，家境困難。

但另外一方面，卻可能是這人不重視社會規範，喜我行我素，不願為世俗所束縛，常常會做出一些令人驚訝的行為。

法令明顯的人，多奉公守法。

法令有痣

父母臨終，自己多不在旁，未能「送終」。

痣在左邊，右腳會受傷；右邊有痣，則左腳會受傷。

法令有痣，亦主會有水厄。

雙重法令

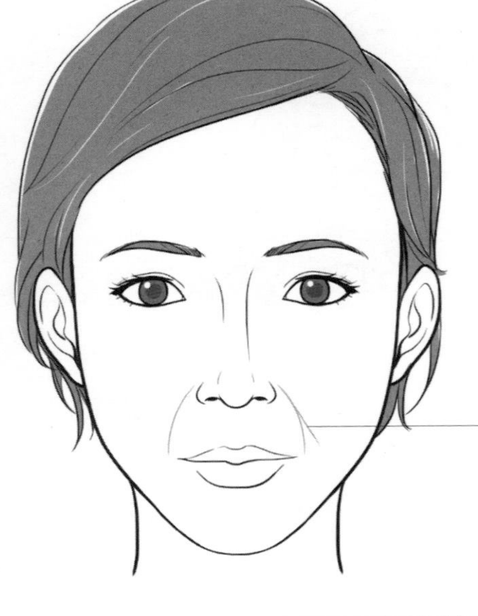

法令紋有雙重，必有重親，或兼二業。除了正業外，還做兼職，生活比較辛苦。

以左邊的法令代表正業，右邊代表副業。

敗紋

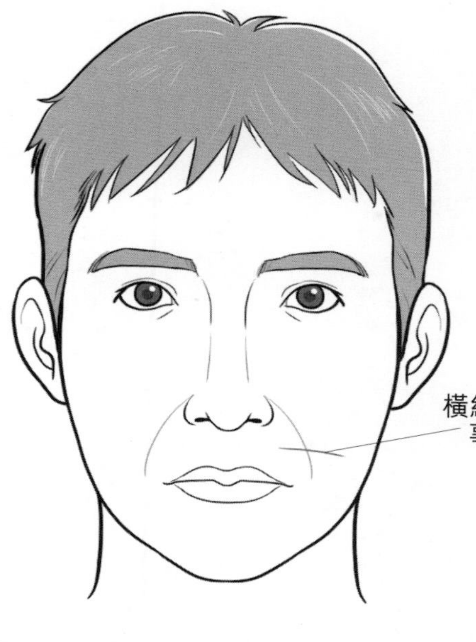

在面頰的部位，有短的橫紋，深刻有力，侵斷法令紋，稱為敗紋。

有敗紋者，一生多成多敗，晚年尤為不吉。

發現有敗紋，在五十一歲就要開始小心，會有突然而來的衝擊，使事業、財產、聲望、地位，受到嚴重的損害。

掌相精粹

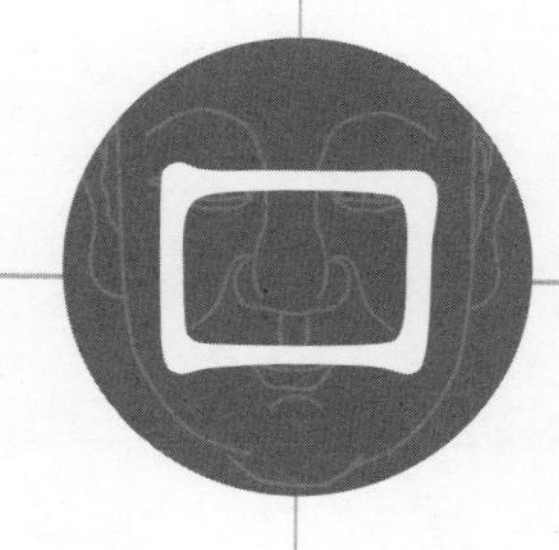

總論

口主流年六十歲的運程。

口為出納官，口代表內心世界，開心會笑，嬲會扁嘴，各種各樣表情，都可以從口反映出來。

上唇和下唇就好像一扇門，要開就要張得大，但合起來亦要合得埋。

「開大合小」最不俗。

俗語説：「病從口入，禍從口出」，所以我們説話時，要先想清楚才講，避免禍從口出。

飲食要注意衛生，定時定量，避免病從口入。

與喜歡的異性會有接吻的行為，也代表內心對對方的愛意。

口有分上、下唇，唇薄的人，用情不專，説話不留餘地，喜歡吹噓。女性主夫緣不佳。

唇厚的人，重感情、為人忠厚。但所謂厚者，是以適者為度，否則過於忠厚，在現今社會是難以生存的，所謂「忠直直，終須乞食」也。

上唇為父，下唇為母。

上唇代表自己，下唇代表配偶。

上唇代表愛情，下唇代表情慾。

口代表夫妻，口閉合緊者夫妻恩愛；口合不緊閉，夫妻感情出問題。

口宜寬闊而豐，主食祿萬鍾。尤其是口之開勢，宜寬宜大。

口形寬闊大，舌頭也要大，才是富裕之相。

口寬舌薄，貪圖享受，但都是好人。

口有棱邊（上唇之唇邊），會有好兒女。口無棱邊，子女緣薄。

口有棱邊，口才好，善辭令。

唇上有癦，會犯水險。法令、眉、耳、下巴有癦，都是一樣。

上唇長過下唇，宜與妻聚少離多。

口形宜微微彎彎向上，不笑時亦似微笑，加上鼻形佳，會有好丈夫，人緣亦佳。

歌星一定要口形寬大，才會成名。

上唇凸出，過於自負，不踏實地。

下唇凸出，是極端個人主義，城府極深，機心亦重。

唇上有紋是好的，性格樂觀，但太多則勞碌。

唇上無紋，則是消極孤獨。

總之，口唇宜厚薄適度，口形要端正，口角向上；唇邊要起棱；唇色宜紅，不要凸出或深陷，就是一個合格的口。

口薄

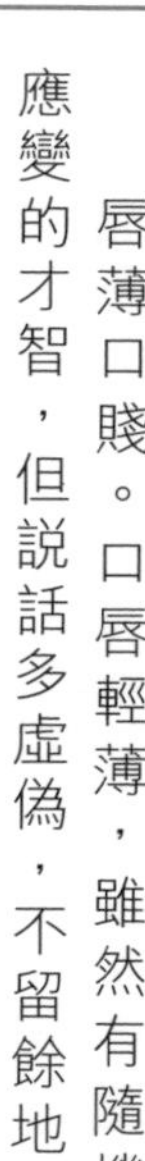

唇薄口賤。口唇輕薄，雖然有隨機應變的才智，但說話多虛偽，不留餘地。

吹噓雖不算犯法，但閑時常說人非，加鹽加醋，惟恐天下不亂，就欠缺厚道。

女性口薄，夫緣恐不佳，應該積點口德，運轉呈「祥」。

口唇薄而口角低垂，心裏雖想欺負人，但卻反被人欺負。

女性口薄，說話時露牙齦，是正牌的「是非大王」，真正「是非做人情」。

唇薄的女性，唇如肝塗之色，多是歡場女性。

上唇

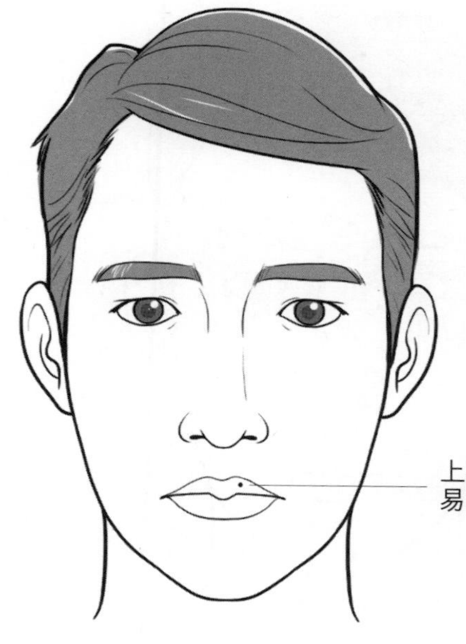

上唇代表自己，下唇代表配偶。

上唇代表愛情、情慾，相愛的男女於接吻時，會有觸電的感覺。

上唇表示自己對他人主動的愛。上唇厚，待人勝於待自己，愛對方多過愛自己，不計較付出。上唇薄，情慾也比較淡薄，是被愛的典型，期望對方愛自己較多。

上唇縮，身體比較差。

上唇有痣，會有結腸症。

唇上有痣，犯水險。

下唇

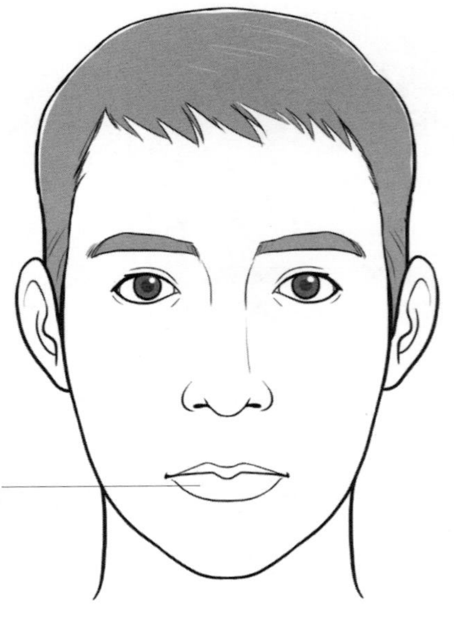

下唇厚，情慾熾盛，性生活要求較多。

下唇呈圓形的，個性固執倔強。下唇的下面呈W形的，作風踏實，但不善交際。

下唇如左右不均，脾氣壞，好管閑事，最愛干涉別人言行，亦主夫婦不和。說話時如下唇歪斜，有說謊的習慣，且個性貪婪，慎防被其愚弄。

下唇比上唇長，最喜歡被人「戴高帽」，遇到這樣的上司，你自己識做喇！

下唇比上唇厚，是自我中心的人，作事不會主動，屬渴望被愛型。

口寬

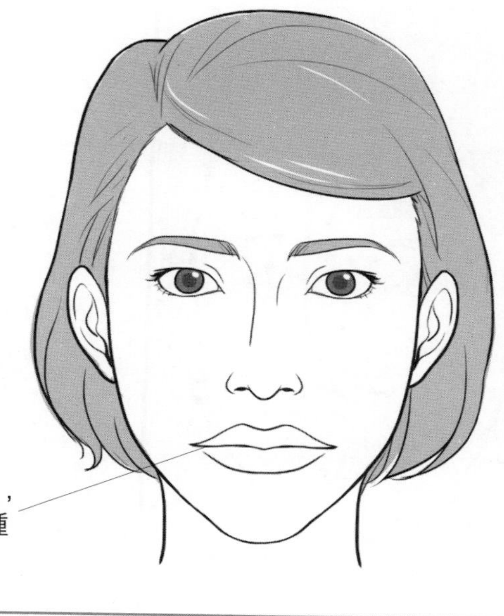

口為四瀆之一，古人有的比喻為黃河，有的比喻為淮河，但其實皆是喻意以寬大為好。

「口闊而豐，食祿萬鍾」，尤其是口之開腔之勢，宜寬宜圓宜大。

女人口大食窮郎，是不對的。口形大，最宜做歌星。

口似血盆，神采奕奕，武將盛名。

口寬舌薄，心好歌樂，不過這也算是好人。

歪斜口

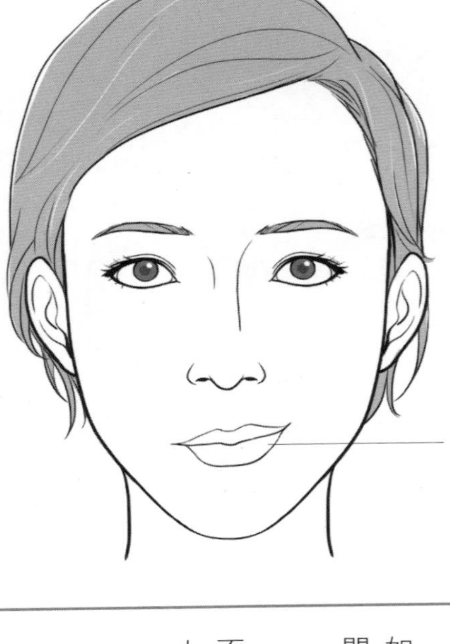

嘴巴的形狀不正，謂之歪斜口，但如因中風而導致歪斜，不在此例。

口之歪斜，與父母遺傳有點關係。如果歪左，問題出在父親；歪在右，則問題會在母親。

口歪斜之人，口是心非，所以言多不可靠，為人貪婪，總是以為自己吃了人家的虧而心存怨恨。

口角向上

口角向上，就像是微笑的樣子，很討人喜歡。

口丫角微微向上的人，一生無大波折。

這類口形之人，雖時常吃小虧，但也不與人計較，知足常樂，默默行善助人，發怒亦不形於色，故一生順遂。

但優點亦是缺點，此類人責任心不太強烈，亦不夠細心謹慎。

笑能夠穩定血壓，加速血液循環，有如幫全身按摩，所以訓練自己多些微笑，可以預防疾病。

吹火口

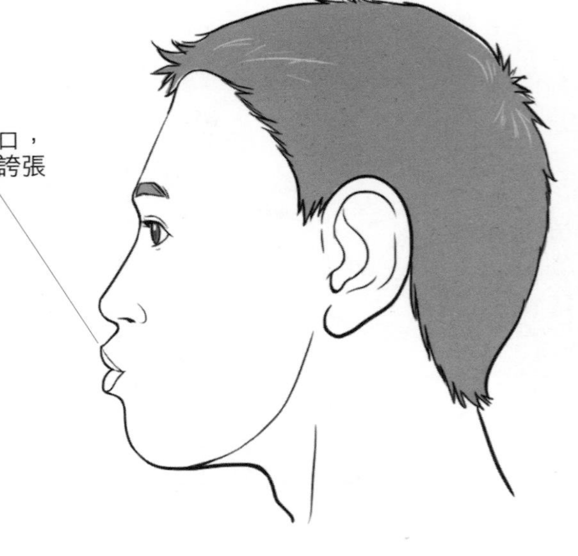

「口如吹火，晚年孤燈獨坐」。

口尖唇凸，好像鼓氣吹火的樣子，是晚年孤獨，老而無依的嘴型。

此口形女性最忌，男性較輕。

吹火口形之人，喜自我誇張、好說謊話，且愛跟人強辯。

女性多是「長舌婦」，缺乏自制能力、出口傷人。

此人意志薄弱，分析及決斷力皆不足，專業難成，婚姻與家運走下坡，隨年齡長大而每況愈下。

實例篇

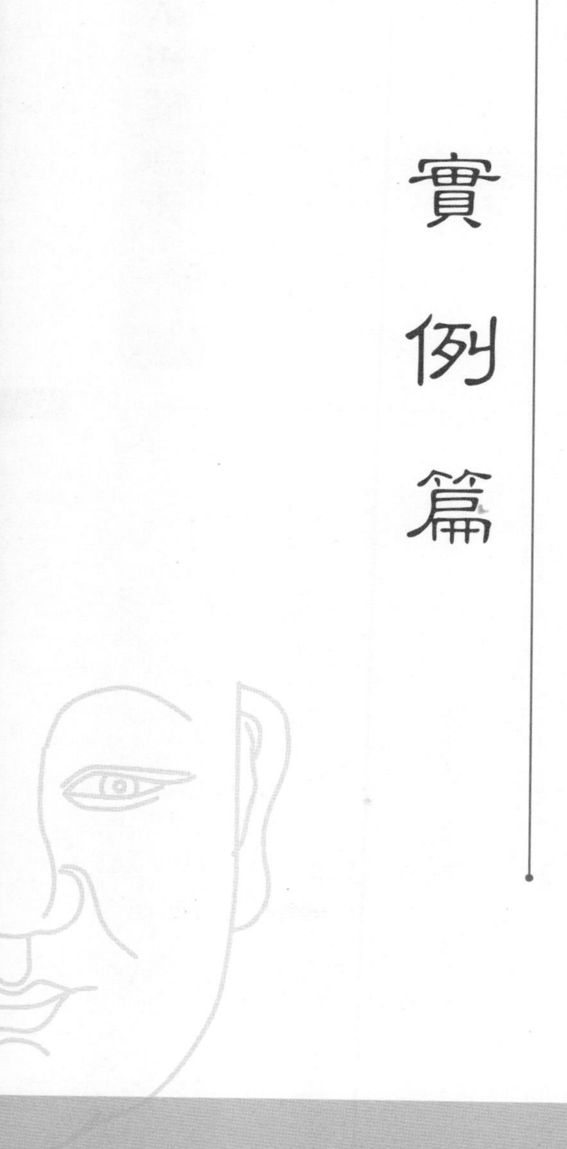

有夫等於無夫

那位女客人走進我的會客室時，已經帶給我一種不愉快的感覺，讓我感到她生活得很不開心。

是什麼事呢？

其實，她的面相已經告訴我了。

「你有夫等於無夫，有子等於無子。」我說。

一語道破，她的眼淚簌簌而下。

「他們兩父子整天不在家，當我不存在。我丈夫一星期總有數晚不回家睡覺，也不跟我親熱！」

女客人聲淚俱下，愈說愈激動，像河缺了堤，水庫穿了洞。

我把紙巾遞給她。

談了一會兒，她情緒平伏了一點。

「為什麼我的命那麼苦？」

我嘆了一聲：「你是懸針破印。」

懸針破印就是一條直紋刻在印堂上，像一根針把印堂刺破一樣。這條紋最壞！再加上她苦淚紋深，樣子散發着一種苦澀味，這樣，婚姻一定不如意。

「那該怎麼辦？請大師指點。」

我教她，最好在家中供奉一尊觀音像。她說，前一些日子，有一位朋友送她一座形態甚美的觀音像。

這就對了。我告訴她，懸針破印的人，會供奉觀音，且多是別人送的。

我着她誠心參拜念經。三年後，這懸針紋就會慢慢彎入田宅宮的眉頭內，這樣，懸針紋就變成福德紋，由凶紋變成吉紋。

女客人千多萬謝而去。

添丁願違

來了一位女客人。當她在我面前坐定後，我看了看她，便先開口。這是我的習慣，比客人先開口。我說話不多，喜歡一語道破。

「不要求了。」

「哦？」她聽到我那沒頭沒腦的話，被弄得錯愕。

「我說，不用再追求了。」

從她面上的神情，我看得出，她的心立刻沉了下去。

「你知道我想要什麼？」

我點頭。

「你是想添丁，但事與願違。」

她不禁閃動淚光。「大師，我真的想要生孩子。」

我當然知道，她的面相已經告訴了我。

「為什麼我不會有孩子？」她強忍着悲哀。

我只好耐心地向她解釋。

她人中闊長，但向右偏歪，生孩子會有問題。

我再補充，她口角無棱邊，人中闊平而長卻歪右，兒女運弱。

其他的特點，我並不宣諸於口，避免太傷害她。

其實，她除口角無棱外，還有其他無兒女的特徵。就是，尾指特別短，臥蠶浮腫、肩直、無坐圍（股細不現）、肥胖卻腰窄（相學上說，「肥婆腰窄肚臍凸，無子」，當然不便檢查她的肚臍）。這些都是女人無兒女，俗話說「無仔生」的特徵。

她從我那裏，也可以說從相學裏找到了答案，證明了過去求子失敗是命（相）。談着談着，她的情緒開始平伏了。

「大師，我自己不會生，可以領養嗎？」

為什麼不可以呢？我心裏想，只要合乎要求，辦手續，便可領養。

其實，她問的是與兒女（哪怕是領養的）的緣分問題。

我只好如實以告。

「你跟兒女的緣分是很薄的。」

她的臉抽搐了一下，她的心像被重擊了一下。很多時，我都覺得為人看相是很殘酷的，來看相的人十居其九都是有難題的。

我必須向她解釋。我說，生仔女有沒有困難，看的是人中。有了兒女，看他們跟你的緣分，是否孝順就看嘴的邊緣線。

嘴形好，口角棱線清楚分明，有好兒女，兒女成材孝順，能享子女福，與子女緣分深厚。

反過來，嘴形差，口角無棱，那麼，子女緣薄。

還有，晚運看地閣、下巴，同時也是看兒女跟自己的關係。

地閣長，地閣朝，那麼兒女對你好。

反之，地閣短，不朝，那麼晚年要靠自己，兒女無靠。

另外，無燕頷，晚景差，兒女無靠，那位女士就是子女緣薄一類。

這樣的相，晚年連乾兒子、乾女兒也沒有。再加上面頰凹陷，無燕頷，實為晚年孤單相。

我只能教她積穀防飢，因為要靠自己。

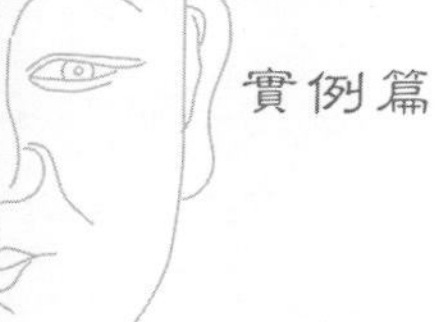

無喜易見凶

我在學員中尋找目標。這一堂談的是氣色，希望能找到一個較有代表性的。我的視線在每一個學員的面上掠過。噢，找到了，就是她。

「那一位女士，請出來。」我指着她。「是的，是你。你不介意當這一課的模特兒吧！」

她略猶疑了一刻，終於在眾人注視下走到講壇前。

「多謝你！」我由衷地說。

她微微點一點頭。

她在眾人的目光下，有一點不自然。

「大家覺得她怎麼樣？」

全場鴉雀無聲。

「她開不開心？」我引導學員。

「不開心。」有幾位學員回答。

「她給我們的印象是甜還是苦？」

「苦。」

「她像不像剛哭過？」

「像。」

「不是像，而是她真的哭過。她着

了服。」

「着服」是有親人過世了的意思。

眾學員立刻提起了精神，因為，眼前這位模特兒非比尋常。

她的眼裏微微閃動淚光。

「我就是看到她的面上有服色，所以請她當模特兒，讓大家也看一看。」

大家都細心看她的臉。

「親人去世，是傷心事。所以樣子、神情都給我們苦的感覺。」

我問大家看出了「服色」沒有。

大家你一言我一語地低聲議論，我叫某一兩位學員回答，他們卻沒有膽量。

還是由我說。

她面色青白，曾經哭過。鼻樑柱上有暗青色，眼下有白粉痕，這就是「服色」。面上還長出了紅點，這個月有兩位親人去世。

眾人驚愕地看着我，又看着她，等待她的證實。

她說，夫家死了表弟，她亦剛死了親哥哥。

大家對她寄予無限的同情。

「親哥哥過世是大服，服色會維持四十五天。」

大家再端詳她的氣色。

我問她的歲數。

虛齡三十八歲。

行的是「識限運」。

二十八、三十三、三十四、三十七、三十八、四十三、四十四、四十六、五十一、五十六、五十七歲是「識限運」。

但凡行「識限運」，無喜易見凶。

「那麼去年三十七歲？」

「父親去世。」她說。

相學上有這麼一個玄機，行「識限運」要有喜來沖，有喜事就好，否則，家族中易有親人去世。

有個學員問：「搬屋是否能化解？」

「搬屋也不能沖喜。」

她問，會不會影響丈夫？

「會。」我答。「行識限運易會影響丈夫運程的。做生意的會跟人拆夥，有去舊迎新之意。」

「那麼……」她當然怕丈夫受到影響。

「有喜或有喪，丈夫就不易有事。」

她舒了口氣。

我再三強調「識限運」的玄機，學員忙於寫筆記。

「她什麼時候有孩子？」我問。

當然只有她自己知道，學員哪裏能回答？

「她人中長而淺平，影響生孩子，子女來得較遲。」

我問學員，虛齡二十八歲後，接下去哪一個流年的部位較好。

「眼。」

這是有目共睹的。

「眼頭、眼尾都不錯。過完眉運入眼運就會有孩子。」

「是三十五歲。」她說。

「她口有棱角，兒女孝順。地閣長而朝，晚運佳，子女成材。」

她終於有點笑容。

長壽

有個學員的七十歲老父病了，進了醫院，他很擔心，便拿了他父親的八字給我看，他還帶來了父親的照片。

我拿起相片一看，立刻跳進我眼裏的是那位老先生長長的雙法令。

那雙法令既深且長，繞過口角直落到長長的下巴。

我再看看他的八字，便對那學員說，請他放心，只是流年不好，病會好，不會有生命危險。

「何知人家八十二，法令低垂是」。

法令愈長，命就愈長。

我想起了我的佛門師父關德興，我的公司掛了我跟他的合照，我指給那學員看。「你看你父親的法令跟關師父的法令比較如何？」

他細心端詳。「有點像。」

關師父的法令紋既長且深，直落下巴，在長長的下巴下邊兩條法令紋交接，把口托住。

學員父親的法令有七分相似。

我說，你該放心了吧！

他放寬心，展笑容，連聲多謝。他說，可以回家好好睡一覺，自從父親進醫院後，他都沒有睡好，他的孝心很值得讚賞。

「何知人家九十六，天庭高聳精神足。」

關德興師父天庭高聳，法令紋深長，鼻直而長、耳高、下巴長，有名氣、地位高，且長壽，高齡九十三歲仙逝。

「何知僧道有高名？其人古貌與神清。」

關師父是一個極好的例證。

關師父樣貌似呂洞賓，神清而氣足。修道多年，所以，享有高名、高壽。

「師父你都幾似……」他說。

我問，似什麼？

「好似笑口肚佛。」

我說，對。

「所以，師父都好出名。」

我指着掛在牆上的一幅畫給他看。那是一位畫家替我畫的一張肖像畫，他替我穿起佛袍，看上去像彌勒佛。

我家裏就供奉了一尊很大的彌勒佛。

相學上有這樣的竅訣，凡樣子像仙佛的，應該信仰祂，並供奉跟祂相似的仙佛。

你的貴人是女人

一個二十六歲的年青人坐在我的面前，他相貌堂堂，兩眼炯炯有神，充滿自信，一派年青有為的樣子。

二十五歲行中正，那個部位凹陷，運程有阻。不過，已經過去。現在二十六、二十七歲行邱陵、塚墓，並無瀉破低陷，由阻滯走向順境。二十八歲走上印堂會是更上一層樓。因為印堂生得靚、脹滿明亮，那時春風得意，生意可擴展，地位亦會提升。

那麼，面前這位年青人想問些什麼？我用快鏡式方法去看他的相。

他面相上一項突出的特徵早已跳進我的眼裏。於是，我開腔。

「你的貴人是女人。」

「什麼？」他的反應很大，有點出乎我的意外。

「是的。」我說。「這是一生人的事。」

他苦笑：「難道這就是命運？」

「是的。」我說。

「大師，不瞞你說，我正想自立門戶，出去闖一闖，證明自己的實力。」

「你不要離開現在依靠的女人。」我說。「應該是你的母親吧！」他點點頭。

「你的父親早已去世。」我肯定地說。

「額角巉巖父先喪，山根低陷母先亡。」

這位青年就是巉巖額角，額前髮際毫不整齊，而山根卻生得挺直飽滿。再看其額角，日角低而月角高。這就知道，他的父親早已不在，是靠母親的了。

他的父親逝世後，母親經營首飾生意把他養大。他讀完書後，就幫母親打理生意。他的母親是老板、大股東。

他希望離開母親，到外面去闖一闖，享受一下自由的空氣。對於一個自小由母親管帶大的年青人來說，是完全可以理解的，也是普通、正常的事。

「真的不能？不應該離開母親？」

「是的。」我說。

為什麼呢？

因為這是命運。他是「雙耳朝珠」，就是兩隻耳有「形美潤厚」的垂珠朝向口部。

凡「雙耳朝珠」的男人，「他的貴人是女人。」小時的貴人是母親，大時的貴人是女友、妻子，老時的貴人是女兒。當然，還可以有其他女性貴人，而且，還包括經營與女性有關的事業。

我有一位朋友，他開辦的是女性胸圍廠。起初，他在山寨廠內打工。後來，交上女朋友，便把山寨廠接過來自己做。結婚後，由細廠變大廠。以後，每生一個女兒，事業就擴充一次。現在，在泰國和內地都有廠，胸圍出口到歐美。

「那樣，我做女性首飾是對的。」

我點頭。

「你這兩年有出外去闖一闖的想法是對的。」我說。

他特別留心聆聽。

「你走邱陵、塚墓兩邊部位時會出門、外展，去較遠的地方。會搬屋、搬寫字樓、搬廠，可以把生意發展到外地，並不是說要離開你的母親。」他點點頭。

「到了二十八歲時，你就可以真正掌大權了。」因為，他的印堂生得好，正是掌印的時候。其實，生意遲早都是他的。

「雙耳朝珠，異地姻緣。」我說。

他問是什麼意思。

就是說，你的妻子不是本地人。

「我的女朋友是在上海認識的，不過，她現在已經在我公司內工作。」

「那就恭喜了。」我說。「二十八歲可以蜜運成功，成家立室。」

「到時一定請大師擇個良辰吉日。」

這是責無旁貸。我多謝他給我生意，他還說要請我參加他的婚宴。

凶光凶險

什麼是眼露？有道是「目露凶光」，是怎麼一個樣子？

這一課的男模特兒是一個好的樣板。我叫那位男學員把眼鏡摘下來。

他摘下眼鏡，有點不習慣。

「大家覺得他那雙眼睛有什麼特徵？」

各學員不知怎回答。

我再問，望着他的眼，會有什麼感覺？有沒有壓迫感？

眾皆回答：有。

這就是凶光，目露凶光指的就是這樣一種眼光。

當你望一個人的眼，感到一種不舒服的壓迫感，一種鋭氣直射過來，那就是眼露了。

凡眼露或眼蒲、眼浮的人，必有血光受傷或動手術，這凶光是一種凶險。於是，我問：

「你是否曾經受傷？」他點頭。

「是撞車。」他再點頭。

學員問，師父怎樣看出來的？

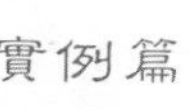

我叫一位女學員出來看看。看什麼？

近距離看清楚他的眼睛。女學員走近去看。

他感到尷尬，女學員後退，彼此都笑起來。

我問她看到什麼？女學員只是笑着搖頭。

看不到？我再指示，看看他的眼睫毛。

女學員再看。哦！看到了。

我叫女學員告訴大家。

「他的睫毛是倒插而生的。」就是睫毛不是向外生，而是倒插向眼內。

這就是他撞車受傷的原因。

關於撞車還有一個秘訣，就是「左穿右撞」。

是什麼意思？是眉頭有一條直豎紋，若在左眉頭，就會穿頭（頭破）；在右眉頭，就會撞車，是之謂「左穿右插」。

左眉頭有直豎紋，還會有偏頭痛，甚至腦生腫瘤，這要及早提防及看醫生。

我還提醒他，他的右腳將來可能會出問題，因為他的左邊法令上有一顆黑痣。

凡法令上有痣，腳就會有事。腳痛、

行動不便，甚至腳折、腳斷。

「怎麼辦？」他緊張地追問。

把那法令上的痣脫去。

我補充，還有一種相是手腳會出問題的，就是凹凸眼，即上眼簾遮蓋了部分眼珠。左凹右邊手腳有事；右凹則左邊手腳有事。

車衣女工經常垂目看衣車，眼簾遮着半隻眼，所以，經常車針傷手，是有道理的。

這位學員有一項凶險是關係到他的妻子的。

我叫他笑，讓同學們看看。

大家都看到了。當他笑的時候，在鼻樑柱上出了皺紋。

這皺紋代表他的妻子生孩子時會有困難，就是難產。

他說沒錯。原來，他在四十一歲時得子。他的眼相不好。離開了眼運，到了較好的山根部位時得子是對的。但是，他鼻樑柱有皺紋，故妻子生產時有困難，要用吸管把孩子吸出來。

他鼻直而削且起節，宜配胖妻。

「他一百六十磅，算不算胖？」他笑着問。

大家說，算。

好色之徒

與我的徒弟聚會（我只收男徒弟，從來不收女徒），阿積竟然遲到。

阿積連聲道歉，說是談生意，遲了。

我問，談的是什麼生意？

他說，是上網之類。最近流行上網，開網頁，做網上生意。

我心中有點氣，竟然在真人面前說假話。我說，你不是上網，是上牀！

我此言一出，眾皆嘩然！要阿積從實招來。

阿積早已面紅耳赤，尷尬地笑而掩飾。

他哪能不承認？因為那是事實。「師父，你是怎樣知道的，是觸機？」

他們都知我的「觸機」厲害。靈機一觸，每言必中，驚人非常。

我說：「非也。」我是從他的面相上看出來的。眾人立刻要我說出是怎樣看的。

「看眉。」我說。

眾人立刻注視他的眉。沒有看出什麼特點來。

不懂看的人，看見的只是兩道眉，要懂看才能看出玄機來。到底玄機在哪裏？

他的眉毛都下垂了。我指出。

眾人再看。哦！真是呀！

凡做愛後，眉毛就會下垂。

有徒弟說，此秘訣一定不能被太太知道，否則，偷食後回家定會被揭破。

「剃掉眉毛便萬無一失了！」有人說笑。

「那就等四個小時後才回家吧！」我說。因為下垂的眉四個小時便回復正常。

我並不是誨淫誨娼，教人去偷食，我只是論相。

我問：「在座誰人最好色？」

他們當然指阿積，阿積否認。

我說：「用相學指證他。」

阿積經常眼濕濕，像睡不醒的樣子。對，凡眼有流光、濕潤，就好色。醉眼，眼睛經常像喝醉的樣子，也是風流。可以同時擁有幾個妻子，而且同枱打麻雀，相處和洽。

「阿 Ken 亦風流。」有人指出。

「從哪裏看出他風流？」我問。

「他有多條魚尾紋。」

這是正確的判斷。風流與好色有點區別。風流而不下流，會有選擇，有感情。好色則純是色慾。

「什麼人好色？」

擁有酒糟鼻的人，就是鼻頭有紅絲的人，其人喜歡召妓。

誰人性慾強？

每人都想認。風流、好色並不等於性慾強。

我指着華哥說：「是他。」

華哥反而面紅。眾人望着他，想尋找答案。

我問：「他的唇有什麼特點？」

「下唇厚而凸。」

就是這一點，眾人半信半疑。

我問：「世界上哪處地方的人有這樣的唇？」

大家都在想，答不出。

我說：「非洲。」

「哦！對啊！」

我說：「下唇厚而凸，而且過分地凸，其性慾旺盛。非洲人不管自己有沒有能力養，只管生，皆因其性慾強旺，而又未能推行避孕之故。」

眾皆恍然。

掌相精粹（上卷）

（原名：掌相與你 上冊-基礎編）

作者

林國雄

編輯

圓方編輯委員會

美術統籌及封面設計

Amelia Loh

美術設計

Man / Charlotte

出版者

圓方出版社

香港英皇道499號北角工業大廈18樓

營銷部電話：2138 7961

電話：2138 7998

傳真：2597 4003

電郵：marketing@formspub.com

網址：http://www.formspub.com

http://www.facebook.com/formspub

發行者

香港聯合書刊物流有限公司

香港新界大埔汀麗路36號

中華商務印刷大廈3字樓

電話：2150 2100

傳真：2407 3062

電郵：info@suplogistics.com.hk

承印者

中華商務彩色印刷有限公司

香港新界大埔汀麗路36號

出版日期

二〇一三年七月第一次印刷

ISBN 978-988-8237-08-1

Published in Hong Kong